Tania'r Tacsi

Angharad Price

D0584097

GOMER

Argraffiad cyntaf—Mehefin 1999

ISBN 1 85902 751 2

Cyhoeddwyd gyda chymorth Cyngor Celfyddydau Cymru.

Dymuna'r cyhoeddwyr gydnabod cymorth Adranau Cyngor llyfrau Cymru.

Argraffwyd yng Nghymru gan
Wasg Gomer, Llandysul, Ceredigion

1. Tania

Waeth i'r cyfan fod wedi digwydd ers talwm, nelo faint o fynd mwyach oedd ar y chwarel. Daeth dyn barfog i mewn i'r tacsi a mynnu cael mynd at y diwydiant ar gyrion y ddinas.

'Lle'n union dach chi'n feddwl, syr?'

'Ti'n fyddar? *Y diwydiant ar gyrion y ddinas!*'

Dydw i ddim yn fyddar. Fo oedd yn myngial siarad: y blew dan ei drwyn o'n nadu'r sŵn drwy'r aer fod cweit digon hyglyw. Doedd dim amdani ond bod yn amyneddgar a gofyn i'r dyn barfog fod yn fwy clir efo'i gyfarwyddiadau.

'Pa ddiwydiant dach chi'n sôn amdano?'

'Pa ddiwydiant ti'n feddwl?'

I be oedd o eisiau gwylltio, fatha taswn i wedi gofyn cwestiwn afresymol?

'Sôn am y chwarel dach chi?'

'Siŵr dduw mai sôn am y chwarel dwi. Am be arall faswn i'n sôn?'

'Pam na fasach chi'n dweud, 'ta, syr?'

'Jyst dreifia, y bitsh wirion.'

Siŵr y cytunwch mai peth hyll ydi neb yn siarad felly; rhegi ar y dreifar yn syth ar ôl dod i mewn i'r tacsi. Ond mynd am y cyrion wnes i; job ydi job. Mynd y ffordd hiraf bosib at y lôn âi at y chwarel ithfaen. Hen dric gynnon ni'r dreifars tacsi i wneud i gwsmeriaid piwis dalu trwy'u trwyn.

Dreifio heb holi ychwaneg, a 'mryd ar ollwng y coc oen ynghanol nunlle wrth y tomennydd, hynny oedd weddill o'r rheiny.

'Dydi'r chwarel ddim fel buodd hi.'

'Dydi hi ddim fel bydd hi, chwaith,' meddai'r dyn barfog yn amwys, a chrechwenu.

Dwi'n dweud 'amwys', ond roedd tôn ei lais yn fwy awgrymog na hynny. Digon i wneud imi droi 'mhen i fwrw golwg arno yn y drych.

Un od oedd hwn. Diferai chwys dros ei dalcen ac roedd ôl gwaed wedi ceulo dan un ffroen. Cilwgai bob hyn a hyn drwy'r ffenest gefn, fatha tasa fo'n dilyn cyfarwyddiadau rhywun oedd yn dod tu ôl. Doedd 'na neb, wrth gwrs, dim car na thacsi na dim, dim ond lôn wag a phobl yn cerdded hyd y palmentydd mewn dull mor arferol nes imi ddechrau hel meddyliau. Tybed oedd y dyn barfog yma'n trio dianc rhag rhyw erlynydd? Mi synnech be all ddigwydd mewn diwrnod ym mywyd dreifar tacsi. Ia, hyd yn oed yn y ddinas hon. Dim byd weithiau; anturiaethau rhyfeddol dro arall.

A thybed be oedd busnes y dyn barfog yn y chwarel? Oedd o'n dallt, tybed, nad oedd hi ond nemor gysgod o'r hyn y bu yn yr oes honno pan oedd pob chwarel yn ei bri? Dyddiau ei gogoniant hi wedi dod ac wedi mynd, oeddan, pan oedd chwarel ithfaen Gororwig yr orau'n y byd am gerrig palmant. Erbyn meddwl, roedd sôn bod rhywun â'i fryd ar ei chau'n gyfan gwbl, ond be fyddai 'na wedyn i hen ddynion diwylliedig ffordd hyn gael sôn a chofio amdano? Iawn i'r bobl ifanc, siŵr iawn, a nhwthau wedi arfer tindroi yn y ddinas. Tydw i'n un ohonyn nhw fy hun? Heblaw am y tacsi, tindroi faswn innau hefyd. Thâl hi ddim anghofio hynny.

Cip arall ar y dyn barfog yn y drych. Crafu'i farf roedd o rŵan. Wn i'm be ddaeth drosta i, heblaw am awydd bod yn bowld, a'r ffaith fod rhywun yn laru weithiau ar eistedd yn ffrynt y tacsi'n ufuddhau i ddynion anserchog fel hwn. Ond be wnes i oedd mynd ati'n unswydd i gynddeiriogi'r dyn barfog. Galwch fi'n anufudd, galwch fi'n fwrddrwg, ond felly mae hi weithiau. Gwybod yn iawn, oeddwn, y gallai'r cwsmer hel clecs. Gwybod yn iawn hefyd y cawn ffrae eto gan y bòs am gambyhafio. Ond rhaid i rywun gael rhywbeth i ddifyrru'r amser, does? Rhaid i rywun gael cic o dro i dro, yn enwedig, fel deudais i, pan fo rhywun yn eistedd mewn tacsi drwy'r dydd. Pobl ydi'ch pethau chi wedyn.

'Dach chi'n dallt, syr, na cha i ddim mynd *reit i mewn* i'r chwarel efo'r tacsi? Y drwydded ddim yn caniatáu imi fynd tu hwnt i'r cyrion. A dydi'r lle ddim ffit i dacsis, beth bynnag.'

'*Y cyrion ddeudais i!*'

Gwylltiodd y dyn barfog yn gacwn. Tasgodd poer o'i geg. Glafoeriodd linynnau tryloyw dros ei farf. Dirgrynai'r haen wydr rhyngom ni wrth iddo weiddi ar dop ei lais, a finnau'n teimlo'r aer yn cynhyrfu wrth gefn fy mhen.

'*Sut fath o dacsi ydi hwn a rhyw gont fatha chdi'n ei ddreifio fo?*'

Oedd, roedd gan hwn dempar. Sbiais arno yn y drych eto a gweld bod ei drwyn yn gwaedu o'r newydd, yn diferyd dros y poer oedd dros ei farf, yn ffurfio patsys coch ar flaen ei grys. Pan welodd y dyn barfog hynny, dyma fwy o regi'n dod o'i geg.

Nid peth hawdd oedd canolbwyntio ar y lôn a finnau

eisiau chwerthin gymaint. Beryg iddo 'ngweld drwy'r drych yn chwerthin yn ddistaw-bach.

Dyna fo'n ymbalfalu am hances ym mhoced ei gôt wen. Stwffiodd gornel yr hances i fyny un ffroen a'i gadael yno'n hongian wrth droi ei ben i sbio'n ôl eto. Sbio'n ôl ar rywun roedd hwn o hyd. A'r peth od go iawn oedd 'mod innau'n sbio'n ôl, drwy gyfrwng y drych, arno yntau.

Cododd ei fraich i sychu'r chwys oddi ar ei dalcen a datgelu clwt estynedig o chwys yn tywyllu'i grys dan y ceseiliau. Aelod anneniadol o'i ryw oedd y dyn barfog. Diolch byth fod haen wydr rhyngddo fo a fi neu mi fuasai'r oglau'n ddigon a chodi pwys ar neb; mae hi'n syndod fel mae ogleuon yn treiddio i ffrynt y tacsi o'r cefn. Drwy agen yn yr haen wydr y bydd dreifar a chwsmer fel arfer yn cyfathrebu, ond mi gaeais honno rŵan hefyd, a gweld dim byd ond siâp ceg y dyn barfog yn gorchymyn:

'Doro dy droed i lawr, myn uffar. Ti'n dreifio'r tacsi 'ma fel blydi malwen!'

Bitsh, cont, malwen, fi oedd honno, Tania'r Tacsi, yn dreifio pobl fel hwn o un lle i'r llall bob dydd. Dyna fi rŵan yn dreifio'r rownd arferol: heibio'r senedd, heibio'r amgueddfa genedlaethol, heibio'r brifysgol, canu corn ar Sian, fy mêt ar y stondin sosej, a gwyro tua'r chwith wedyn er mwyn gadael canol y ddinas.

Diwrnod mwll oedd hi. Gwres mawr ymhobman yn codi'n donnau o'r llawr. Dim rhyfedd fod y dyn barfog yn chwysu. Eto, be oedd i'w ddisgwyl a hithau'n fis Awst? Chewch chi nunlle mwy mwll na'r ddinas hon fis Awst. Gorwedd mewn pant mae hi, dyna pam. Ac er nad ydi'r môr yn bell, mae 'na fynydd – mynydd

Gororwig – rhwng y môr a'r ddinas yn nadu pob awel rhag dod drwodd.

Stopio wrth y goleuadau traffig: dacw Sami yn croesi'r lôn i fynd i mewn i'r sinema ffilms budur. Canu corn ar hwnnw a chael dau fys yn ateb. Un chwareus; ia, mae hwyl i'w gael efo Sami. Tybed âi'r dyn barfog i'r un sinema? Synnwn i fawr, y sglyf. Cip arall yn y drych a dyna lle roedd o yn y cefn ar fin tanio sigarét, a'r smôc yn hongian yn llipa yng nghornel ei geg.

Methai'n lân â thanio'i leitar. Roedd cledrau'i law a blaenau'i fysedd o'n llaith, mae'n siŵr, yn y gwres tamp oedd yn treiddio i mewn o'r tu allan. Methai â darllen hefyd, am wn i, neu roedd o'n ddall, achos roedd arwyddion amlwg coch a du yng nghefn y tacsi yn gwahardd neb rhag cael smôc. Fi gâi ffrae gan y bòs, wedi'r cyfan, am y staeniau nicotîn.

Erbyn hyn ro'n i'n difaru rhoi pàs i'r dyn barfog o gwbl. Ond dydi rhywun ddim i wybod, nacdi, pwy y daw ar ei draws mewn diwrnod. Yn ara-deg mae dysgu nabod pobl o ran eu gweld; anos na'u nabod nhw wrth eu henwau. Do'n i'm wedi licio golwg hwn ers y dechrau ac rŵan roedd o'n creu helynt. Na – a dyna fi'n ochneidio – doedd dim amdani ond ailagor yr agen yn yr haen wydr a gadael i don o oglau chwys ddod drwodd wrth roi ffrae i'r dyn barfog:

'Dim smocio yn y tacsi, syr. Fedrwch chi ddim darllen y seins, deudwch?'

'*Dos i'r diawl.*'

Heb fod yn bell o'r pwll nofio oeddan ni, heb gyrraedd cyrion y ddinas eto a heb fod 'na olwg o unrhyw ddiwydiant. Troi tua'r chwith. Stryd ddifyr oedd hon, llawn siopau dillad ail-law, siop anifeiliaid anwes, siop fwtsiar a dau gaffi. Ymlaen drwy'r goleuadau traffig tuag at y draffordd i Loegr. Ond troi'r tacsi wedyn oddi ar y lôn honno a mynd tua'r dde hyd lôn Sonderling, i fyny'r allt at y lôn gul a throellog âi at gyrion y chwarel. Nid hon oedd y ffordd fyrraf, ac nid hon oedd yn boddio'r llygad fwyaf, pe tasa gan rywun amser i sbio ar olygfeydd. Ffasiwn olygfa oedd honno dros doeau a thyrau'r ddinas! A dweud y gwir, hon oedd y ffordd hiraf at y chwarel, yn troelli mwy na'r ffordd arall oedd yn dechrau wrth waelod yr inclên dan y bonc isaf.

Mae gofyn i ddreifars tacsi fod yn amyneddgar ar y gorau; mae 'na gymaint o bobl wallgo hyd y lle, does? Ond mae pall ar amynedd pawb a dydw innau ddim yn eithriad, does ond rhaid ichi ofyn i Glenda neu Math. Dyma droi oddi ar lôn Sonderling at lôn dawel a neb yn nunlle i'w weld. Sgrialodd y teiars a gwichiodd y brêcs wrth i'r tacsi stopio. Diffodd yr injan. Datglymu'r gwregys. Camu allan o'r tacsi ac agor y drws cefn. Ella byddwch chi'n synnu ataf – yn hogan – yn ymddwyn fel hyn, ond rydw i'n gryfach na 'ngolwg a dyma be wnes i: gafael yn y dyn barfog gerfydd coler ei gôt wen a rhoi ffluch iddo allan o'r tacsi ac ar lawr. Roedd 'na oglau chwys ofnadwy yn y cefn.

Gwingo fel c'nonyn ar y tarmac, dyna fel oedd o, yn trio dallt be ddigwyddodd ac yn mwmial rhyngddo a fo ei hun. Finnau'n sychu fy nwylo yn fy nillad ac yn ei siarsio:

'*Rhega di arnaf i eto, boi bach, ac mi ddifari. A phaid â meiddio dod ar gyfyl fy nhacsi i eto, y basdad anghwrtais, efo dy drwyn gwaed.*'

Na, fedr dreifar tacsi ddim fforddio bod yn

groendenau, ond roedd hwn wedi bod yn fwy na llond llaw.

'*A ffeindia dy ffordd dy hun i'r chwarel ar dy ddwy droed, y cwdyn diog!*'

Clec i'r drws ac awê efo fi a'r tacsi. Agor y ffenest i lenwi'r tu mewn efo awyr iach, bagio'r tacsi'n ôl at lôn Sonderling, a sbydu o'no yn ôl at y ddinas islaw. Un cip yn y drych cyn rowndio'r tro, a dyna lle roedd y dyn barfog yn stryffaglio i gael ei draed dano. Tasech chi'n gweld yr olwg arno fo: baw ci brown hyd cefn ei gôt wen, gwaed dan ei drwyn, dros ei farf ac yn diferyd ar ei grys, chwys yn sglein ar ei dalcen a dagrau yn ei lygaid. Ai hapus ynteu cynddeiriog oedd o, wn i ddim, ond pwy sy'n poeni?

Braf oedd dychwelyd at ganol y ddinas, heibio'r llefydd cyfarwydd: heibio'r sinema ffilms budur a Sami wedi mynd o'r golwg; heibio'r stondin sosej lle roedd Sian wrthi'n tollti sôs-coch o botel blastig; heibio'r brifysgol; heibio'r amgueddfa; heibio'r senedd. Ar fy rownd ddyddiol yn y tacsi ac yn edrych ymlaen at amser cinio. Ond ar fy ngwaetha mi drois wrth nesáu at y stesion i sbio'n y drych, fatha taswn i'n ofni be oedd yn dod tu ôl.

2. Osian

Does dim byd tebyg i ffeit i gnesu'r fron. Prin fydda i'n boddran efo bwyd yn ystod y dydd: ffag a phaned o goffi du efo llwyaid o siwgwr. Dyna ni'n iawn wedyn tan saith. Fawr o faeth, mae'n siŵr, ond faint o faeth sydd ei angen i eistedd ar fy nhin am ddeg awr bob dydd? Gweld ydw i bod pobl ormod o fyd efo bwyd. Dweud fydd Yncl Beci weithiau, yn ei ffordd gynnil ei hun, 'mod i'n edrych yn sgraglyd. Trio dangos mewn ffordd ffeind bod gen i broblem efo bwyd. Aeth mor bell unwaith â dweud 'mod i'n gweld bwyd yn fwy na'r hyn ydi o. Dydi hynny ddim yn wir: ei weld o'n llai na'r hyn ydi o ydw i.

Nid bod hyn yn bwysig, chwaith. Jyst dweud ydw i. Mi fyddwn yn bwyta pryd syml bob nos, beth bynnag: bara a chaws, weithiau gawl, a salad bach; byth bron bwdin. Ond fel deudais i, dydi hyn ddim yn bwysig.

Cwmni Osian ydi mwynhad mawr bod yn Caffi Stesion. Fanno fydd o'n paldaruo bob dydd am hyn a'r llall ac yn holi. Bardd ydi o, medda fo, o ran galwedigaeth ac anian, dim ond bod amgylchiadau wedi'i orfodi i fynd yn setsman yn y chwarel, ac i fynd ar y dôl ar ôl colli'r job honno. Lwmp o grefftwr yn ei ddydd, meddan nhw; chaech chi ddim gwell setsman nag Osian. Roedd yn gyfarwydd iawn â'r garreg ithfaen, yn ei dallt hi i'r dim. Gwyddai'n iawn faint o ffelsbar roddai ithfaen da a sut setsan oedd wrth fodd y bosys. Pan oedd y chwarel yn mynd roedd 'na barch mawr i Osian, erbyn dallt.

Ella mai dyna pam mai ar gyfeiliorn yr aeth Osian wedi colli'i waith. Toedd hynny wedi digwydd i gynifer o'r hen hogia, yn enwedig y rhai heb deulu? Yfed ei hochr hi fu hanes llwyth ohonyn nhw; sawl un, fel Osian ei hun, yn colli'i gartref hefyd 'run pryd. Ac i wneud pethau'n waeth aeth Osian i ganlyn chwiw oedd wedi bod efo fo erioed, sef y chwiw o eisiau bod yn fardd.

Roedd o'n byw ar gefn y wlad, yn trigo mewn lloches i'r digartref ar ochr ddwyreiniol y ddinas. Yn fy marn i, ond peidiwch â dweud wrth neb, bardd gwael oedd Osian a gormod o flew ar ei dafod; a honno, gan amlaf, yn dafod dew. Bardd talcen slip oedd yn trio'i orau glas bod yn ddandi. Llefarai ei waith yn dda: adrodd y cerddi'n uchel ac yn gyhoeddus heb ddim cywilydd, dim ond balchder. Roedd yr holl sigaréts wedi peri i'w lais fod yn gryg a hiraethus. Gwin coch fyddai o'n yfed, neu de ar achlysuron arbennig, ac fe ganai'r piano yn Caffi Stesion yn aml, yn enwedig pan fyddai'n brin o bres.

Gerbron y piano roedd Osian pan ffeindiais i fo amser cinio, yn llesmeirio fel arfer. Eisiau sôn oeddwn i am y dyn barfog a'r ffeit. Byddai Osian wrth ei fodd efo stori dda. Roedd yn wrandawr gwerth chweil, a gwnâi i finnau, yn fy nhro, werthfawrogi'r profiad o fod yn ddreifar tacsi. Achos doedd dim yn well gan Osian na stori wir. Aml i dro, fe'u trôi nhw'n faledi i'w canu yn Caffi Stesion a byddaru pawb. Dyna ichi hwb oedd dweud stori wrth Osian. Mi edrychwn ymlaen wedyn at ddychwelyd at ddreifio'r tacsi drwy'r pnawn.

'Osian, be gymri di?'

'Hisht!' cododd ei law dde'n llawn siars, a'r llaw chwith yn dal i ganu alaw leddf yn y bas. 'Dwi ar fin dod at y diwedd.'

Daeth ei law dde gymalog at y llall ar y ford a tharo cordyn tew efo deg bys. Chwaraeodd Osian wedyn gyfres o rediadau cwafrog a'i ddwy law yn symud yn eu hunfan. Mynd at y bar wnes i a gofyn am goffi du a gwin coch; nid o amarch i'r perfformiwr ond am 'mod i'n hen gyfarwydd â'r darn hwn. Hwn ganai Osian bob tro, rhapsodi Franz Liszt. Gwenu ar Ann tu ôl i'r bar ond troi'i llygaid wnaeth honno i ddangos ei syrffed wrth yr un hen diwn.

A dyna Osian yn dod at y diwedd. Ei lygaid ynghau a'i ên foel wedi'i dyrchafu tuag at yr awyr, fel tasa fo'n straenio i glywed rhyw lais pell yn datgan pethau wrtho. Straenio i'w anwybyddu roedd y rhai wrth y bar.

Gloywai chwys ar ochr pen Osian a'r gwallt tenau uwch ei glust yn socian, wedi troi o fod yn wyn i fod yn llwyd yn ystod y rhapsodi. Yna, pum eiliad o ffyrnigrwydd annisgwyl, a'r corff bach tew yn mynd i gyd, glafoer yn treiglo o gil ei geg, dannedd yn dod i'r fei, gwefusau'n sgrytian, a golau melyn lamp yn ysgwyd ar ei gorun moel o; Osian yn griddfan yn uchel, a dyna'r darn wedi darfod.

'Diolch byth am hynna,' meddai Ann. 'Dim ond tiwns o'n i eisiau; singalong a ballu.'

Yn ddi-ffrwt y deffrôdd Osian o'i lesmair, fel pob tro. Cododd oddi ar ei stôl, cau'r piano'n swta a dod at y bar a gofyn, yn ôl ei arfer:

'Oes gen ti hances, Ann, i fi gael sychu fy hun? Tania, oes 'na ddiod i gael, del?'

14

Roedd darn o bapur cegin yn barod iddo ar y bar. Sychodd Osian ei dalcen a'i arlais, a than ei drwyn hyd at ei ên, a chledrau ei law fesul un. Chwythodd ei drwyn i'r un hances a'i rhoi'n ôl ar y bar i Ann gael ei thaflyd. Fflatiodd y gwallt uwchben ei glust efo blaenau'i fysedd. Rhan olaf y ddefod ddadebru oedd ysgwyd ei ddwy fraich fel yr ysgydwai iâr ei hadenydd, er mwyn gwyntyllu ei geseiliau. A dyna Osian yn barod i ailddechrau yfed.

'Ti'n iawn, Osian?'

'Iawn. Ond bod y Liszt 'na'n cael effaith arnaf fi.' Ysgydwodd ei ben. 'Cwd emosiynol.'

'Diod bach i chdi'n fan'na.'

'Iawn, iawn, dwi'n dŵad fy ngorau. Fedra i ddim dod ataf fy hun jyst fel'na. Tria ddallt!'

Aeth yn ddistawrwydd rhyngom wedyn. Roedd rhywun wedi rhoi pres yn y jiwcbocs a dyma fiwsig pop yn dechrau. Caeodd Osian ei lygaid fel petai ei nerfau o'n ddrwg.

'Pam na chwaraei di ddarn llai straenllyd na'r rhapsodi 'na?'

'Pam na feindi di dy fusnes?'

Agorodd Osian ei lygaid a gwgu arnaf, setlo ar y stôl a chymryd dracht swnllyd o'r gwin. Taniais innau ffag a gwgodd Osian eto. Doedd o ddim mor siaradus ag arfer.

'Sut mae'r hogia eraill yn y lloches?'

'Bwlis uffar,' yn bwdlyd, a thewi.

'Pwy sy wedi piso ar dy jips di heddiw 'ma?'

'Cau hi.'

Doedd ond un peth a gâi Osian i siarad yn gall, sef ei holi am ei farddoniaeth.

'Sut mae'r awen, Osian?'

Ymlonnodd yr hen ŵr o'r diwedd, a gwenu.

'Wel,' meddai'n ddireidus, bron. 'Gan dy fod ti'n gofyn, mi ddaeth draw neithiwr.'

'Ia?'

'Ia be?' ac Osian yn smalio bod yn swil.

'Sgwennaist ti gerdd?'

Roedd o wrth ei fodd fy mod i'n gofyn. Oedodd rhyw funud cyn ateb.

'Wel, do, fel mae'n digwydd. Ar ôl i'r awen ymadael.'

'Tyrd imi ei chlywed hi, 'ta.'

'Ti'n siŵr?'

'Tyrd 'laen, wir, Osian. 'Dan ni'n nabod ein gilydd ddigon da erbyn hyn a does gen innau ddim drwy'r dydd. Adrodd dy gerdd rŵan.'

Turiodd yn ei boced am damaid o bapur crebachlyd ac ysgrifen hogyn-bach mewn pensal arno, a lot o altro ar y geiriau.

'Dydw i ddim wedi ei dysgu hi ar fy nghof eto.'

'Darllen hi.'

Tagodd Osian unwaith. Ysgwyd ei freichiau yn yr ystum iâr, a chrafu'i dagell efo blaen ei fys.

'Ti'n barod?'

A dyna'r llafarganu cryg yn dechrau:

> '*O Gymru, Gymru drist a'th iaith yn wan,*
> *Paham na lawenychi inni gael*
> *Cofleidio'n gilydd eto yn y man,*
> *Ymddyrchafu, chwerthin, bod yn hael?*
> *O Gymru, Gymru tria ddallt*
> *'Mod innau hefyd efo dagrau hallt.*'

Oedodd Osian yn hir ar ôl gorffen. Caeodd ei lygaid, yna'u lled-agor eto i arddangos y dagrau. Yfodd ddracht arall o'r gwin coch, a dal y gwydr am ychwaneg. Torri gwynt, a snwffian.

'Pwy sy'n talu?' meddai Ann.

Edrychodd Osian yn slei arnaf innau, ac ar ôl sicrhau bod Ann wedi dallt, trodd ataf yn gyfan gwbl i dderbyn clod am ei gerdd.

'Wel?'

'Go dda, Osian. Ia wir.'

'Ydi, mae hi'n un dda, er 'mod i'n dweud fy hun.'

'Un o'r goreuon eto.'

'Be am y diweddglo?'

'Roedd y diweddglo'n arbennig o effeithiol.'

Roedd Osian yn cytuno, oherwydd ysgydwodd ei ben yn frwd, a chochi.

'Mi fydda i'n licio cloi drwy gyfeirio ataf i fy hun, ti'n gweld, Tania. Rhoid rhyw wedd bersonol ar y diwedd.'

'Roedd y cyfan yn groyw iawn.'

Braidd yn rhy groyw, o bosib. Ond wedyn pwy oeddwn i, byth hyd yn oed yn sgrifennu neges siopa hyd yn oed, i basio barn ar delynegion bardd talcen slip?

'Ti'n rhy ffeind, wyt wir,' dan ysgwyd ei ben; ond roedd bron Osian yn ymchwyddo bob yn dipyn. 'Nemor fardd o chwarelwr ydw i, wedi'r cyfan.'

'Twt.'

'*Ia!* Ond wedi dweud hynny, dwi'n parchu dy farn di. Ti'n dallt be ydi be. Neb arall yn fa'ma'n fy ngwerthfawrogi fi. Dydi'r bygars eraill yn y lle 'ma prin yn dallt Cymraeg . . . Diolch . . .' Cododd Osian ei wydr gwin llawn at ei wefus.

'. . . heb sôn am werthfawrogi crefft cerdd dafod.

Fasan nhw ddim yn nabod athrylith barddol petai o'n dawnsio ar y blydi bwrdd pŵl.' Drachtiodd o'i win a llyncu'n swnllyd.

'Iechyd da, Tania!'

'Iechyd da, Osian bach.'

3. Osian a Tania

'Blys gen i sgwennu epig!' meddai Osian, a'i wydr gwin coch yn hanner gwag.

'Epig?'

'Dod â dy straeon di at ei gilydd mewn cyfres o faledi i greu un gerdd hir. Teyrnged i Tania'r Tacsi.'

'Difyr iawn.' Oedd hwn byth yn mynd i stopio paldaruo am ei farddoniaeth?

'Syniad campus, ydi, dwi'n cyfaddef fy hun. Baled i bob pennod, ti'n gweld, a chwpled o gywydd bob hyn a hyn i lywio barn.'

Mi edrychais ar y cloc a gweld ei bod yn bryd mynd yn ôl i'r gwaith. Byddai'n rhaid aros tan fory cyn sôn am y dyn barfog wrth y bardd talcen slip. Ond dyna pryd y gofynnodd Osian, o'r diwedd:

'Oes 'na straeon newydd i'r hen fardd heddiw, 'ta?'

Fy nhro innau rŵan i ddrachtio ar y sigarét. Oedd y stori'n werth ei dweud o gwbl? Waeth imi droi'n ôl am y gwaith ac anghofio am bopeth. Deuai fory â'i straeon ei hun.

'Rhaid i chdi witsiad tan fory.'

'Heddiw!' gwichiodd Osian a strancio.

'Fory.'

'*Heddiw!*'

'O, iawn. Cau dithau dy jops, 'ta, os wyt ti eisiau ei chlywed hi.'

'Be ddigwyddodd?'

Daeth Osian â'i wyneb yn nes, a'i lygaid wedi mynd i sgleinio'n frwd.

'Uffar o beth od.'

Gwasgais stwmp y sigarét i mewn i'r blwch llwch ac estyn am ffag arall.

'Doro dân arni, Tania.'

Peth braf oedd bwrw 'mol, o'r diwedd, am y dyn barfog a'i drwyn gwaed. Prin ei bod hi'n stori, roedd hynny'n wir, ond siawns nad oedd hi angen cael ei dweud. Wedi'r cyfan, onid oedd rhywbeth ynglyn â'r dyn barfog wedi fy styrbio'n arw? Osian bellach yn glustiau i gyd a doedd fiw siomi hwn. Gwnâi synau priodol wrth imi lefaru: amneidio i gadarnhau a gwrthdystio; agor ei lygaid yn fawr, a'u cau'n dynn wedyn.

'Swnio'n dipyn o goc oen i fi,' meddai ar y diwedd.

'Mi wnaeth i fi deimlo'n annifyr.'

'Dwi'n synnu dim.'

Crafodd Osian ei ên wrth bendroni am ystyr y geiriau: 'Pwy ddeudaist ti oedd yn mynd i mewn i'r sinema?'

'Pa sinema?'

'Y sinema ffilms budur.'

'Sami, fel mae'n digwydd, ond dydi hynny ddim yn berthnasol.'

'Perthnasol i be?'

'I'r stori, siŵr iawn.'

'Pa stori?'

'Y stori dwi newydd ei hadrodd.'

'Prin ei bod hi'n stori, Tania.'

Tawelwch. Wedi gwneud ffŵl ohonof fy hun, oeddwn, ar gorn y dyn barfog. Siŵr bod pawb yn Caffi Stesion, fel Osian, wedi bod yn clustfeinio; wedi cael eu siomi; yn methu dallt pam adroddais i'r stori yn y lle cyntaf; yn fy ngweld yn het wirion.

'Wel, maddeua i fi am wastraffu d'amser di, Osian,' yn biwis; codais oddi ar y stôl mewn ystum mynd o'no.

'Na, na, mae'r cyfan *yn* werth dweud amdano. Ond dydi hi ddim cweit yn stori eto.'

'Dwi'n mynd. Hwyr fel mae hi. Cha i ddim llawer mwy o jansys gan y diawl bòs 'na.'

Gorffennodd Osian ei win, a 'nal innau'n ôl gerfydd llawes fy ofarôl.

'A dweud y gwir,' aeth yn ei flaen. 'Dwi'n teimlo chwilen yn codi'n fy mhen ynglŷn â'r boi 'na. Be ddeudaist ti oedd ei enw fo?'

'Dwn i'm.'

'Dani?'

'*Dwi'n mynd, Osian.*'

'Dani Mint? Enw od ar y diawl.' Estynnodd Osian am ei bensil a'i bapur crebachlyd. Sgrifennodd yr enw 'Dani Mint', a'i dafod yn dilyn symudiad min y bensil.

'Rhoid gwedd newydd ar y stori, rywsut, 'dydi, enw mor od â hynna.'

'Dwi'n mynd, Sherlock.'

'Tania, gwitsia am funud. Lle gadewaist ti fo?'

A'i ddychymyg wedi'i danio, bellach yn awchu am wybod mwy, tynnodd Osian fi'n ôl ato ac roedd hynny'n beth braf. Braf hefyd fyddai cael cwmni i drio dallt yr hyn ddigwyddodd: rhoid y stori'n dwt yn y cof yn lle ei bod hi'n sgrialu drwy'r pen heb gynffon.

'Ar lôn Sonderling.'

'Lôn Sonderling? Be oeddat ti'n da yn mynd ffor'no i'r chwarel?'

'Be ydi'r ots am hynny rŵan?'

'Faint yn ôl ddigwyddodd hyn?'

'Rhyw awran.'

'*Awran?* Pam na ddeudaist ti'n gynt?'

'Pam na ofynnaist tithau'n gynt?'

'Gei di ffrae gan dy fòs os fyddi di ugain munud yn hwyr?'

Bustachodd Osian ar ei draed. Trodd yn ei unfan i chwilio am ei gôt.

'Caf.'

'Ydi hi ots gen ti?'

'Nacdi. Pam?'

'Dwi eisiau mynd i chwilio am y coc oen ar lôn Sonderling.'

'Mi fydd wedi hen fynd erbyn hyn.'

Un penderfynol oedd y bardd talcen slip pan oedd raid bod. Gwisgodd ei gôt flêr amdano. Glafoeriodd dipyn. Ochneidiodd, cyn fy ngwthio oddi wrth y bar.

'Fyddan ni ddim gwaeth a thrio, Tania. Tala di am y diodydd. Dwi'n mynd i'r toilet.'

Wrth ddrws y tŷ-bach oedd o pan waeddodd Osian fy enw. Finnau'n cael braw, wrthi'n rhoid pres ar gledr llaw Ann, ac yn gollwng y newid mân i gyd ar lawr.

'Be sydd rŵan, Osian?'

'Wst ti be?'

'Be?'

'Mae 'na uffar o stori dda'n llechu'n fan'na.'

Finnau'n ymsythu ar ôl codi'r ceiniogau oddi ar lawr ysgarthog Caffi Stesion.

'Defnydd crai, Tania. Defnydd crai ar gyfer yr epig!' Caewyd drws y toilet a daeth sŵn y clo'n troi. Rhois y pres budur yn llaw Ann. Trodd honno ei llygaid o'r newydd wrth ffwlbri'r hen ŵr.

'Mae ei galon o'n y lle iawn,' meddwn innau'n amddiffyn Osian.

'Mae o'n camgymryd ei geg am ei din,' meddai hithau.

'Bardd ydi o!'

'Dos â fo o'ma, wir, am awran neu ddwy. Braf fydd cael ei le o.'

'Mi ddifarwch fod mor gas pan fydd Osian yn fardd enwog.'

'Mae'r ddau ohonach chi'n byw yn sbês.'

Aeth yn funud neu ddwy cyn i Osian ddod allan i gymeradwyaeth dŵr yn cael ei dynnu. Ar ôl iddo orffen cau'i falog, mi afaelais yn ei law, a dweud fel hyn:

'Tyrd efo fi, 'ngwas i, am dipyn bach o fwyniant yn y tacsi. Mi awn ni at waelod y stori yma efo'n gilydd, gei di weld.'

'Ti'n hogan glên iawn, Tania,' meddai Osian yn faldodus.

Efo boddhad y gwelais i'r bardd yn troi i dynnu tafod ar Ann wrth inni fartsio drwy ddrws y caffi myglyd ac i ganol niwl mis Awst.

Gwnâi hyn yn aml ym mis Awst, y niwl, syrthio'n ddisymwth ar y ddinas. Nid niwl oedd o, chwaith, yn gymaint â mwg: llygredd ceir, bysys a loris yn hel yn yr aer. Pan fyddai'r aer yn glòs a llaith hel wnâi'r mwg petrol hyd waelod y pant, a hongian dros y ddinas. Anodd cael eich gwynt weithiau, go wir. Mor wahanol i'r aer yn y wlad, lle ces i fy magu: toedd tŷ Yncl Beci wrth gwr coedwig, a heb fod yn bell o lan-y-môr, chwaith? Ond dyna ni, fel deudai Beci ei hun, fy newis i oedd dod i'r ddinas i fyw. Dim ond pan syrthiai'r niwl y difarwn innau. Fel arall ro'n i'n ddigon hapus. Fedran ni ddim cwyno gormod, na fedran?

Sôn bod y llywodraeth yn mynd i reoli'r traffig ar ddyddiau mwll fel heddiw, nadu ceir rhag cyrchu canol y ddinas. Ond toedd y rheiny fel malwod mewn col-tar yn trio pasio deddfau? Sgwn i fuasai hynny'n effeithio ar dacsis? Nabod bòs ni, ac yntau'n llawiau â phobl y senedd, mi gâi ganiatâd arbennig ar gyfer tacsis ei gwmni o er mwyn gwneud llwyth o bres. A'n cyflogau ninnau, y dreifars, yn aros 'run peth. Y cachwr cyfalafol iddo fo. Cofiwch chi, roedd bai ar bawb am y llygredd: y ceir, y bysys, y loris a'r tacsis. Dim ond y cerddwyr oedd yn ddi-euog, a'r beicwyr. Dydw i ddim eisiau brolio, ond beicar ydw i yn fy amser sbâr, ac felly mae 'nghydwybod i'n lân yn hyn o beth. Ar feic y bydda i'n teithio. Hynny'n beth od, mae'n siŵr, a finnau'n ddreifar tacsi, ond fel deudais i eisoes, job ydi job. Pobl eraill oedd eisiau gwasanaeth y tacsi.

Dweud wnâi fy nghyd-ddreifars i nad oeddwn i'n driw i'r tacsi. Finnau'n ateb, heb ddim cywilydd, y buasai 'na lai o fwg yn y ddinas pe beiciai pawb. Moesol, braidd, ar adegau, dydw? Ac yn meddwl y byd o'r beic, peidiwch â sôn. Beic mynydd ac iddo ugain gêr, pedair gwaith gymaint â thacsi. Roeddan ni'n dallt ein gilydd i'r dim. Lliw gwyn, gloyw oedd arno a doedd o byth bron yn fudur. Toeddwn i'n ei llnau o'n garuaidd bob dydd Sul? Peth ofnadwy o braf oedd bomio mynd dros gyrion y ddinas a thua'r trac beics newydd lle'r arferai'r wagenni chwarel fynd at y llongau. Awyr iach yn y pen; doedd dim angen mwgwd ar y trac fel yng nghanol y ddinas. Na helmed chwaith, o ran hynny, a dyna wefr oedd teimlo'r awel yn y gwallt! Digon o fynd efo'r coesau i dynhau'r cyhyrau. Ar ôl wythnos o eistedd ar fy nhin yn dreifio injan, be allai fod yn well? Y beic oedd yn rhoid rhyddid imi, a dyna pam roedd o'n werth y byd.

4. Tania ac Osian

Dim ond amlinell y tacsi gwyn oedd i'w weld yn y niwl. Roedd Osian wrthi'n halio fy mraich ac yn llafarganu:

'Mwg, mwg, yn cuddiad pethau drwg!'

'Dydi'r peth ddim yn naturiol.'

Roeddwn i'n chwilio am fy ngoriad ym mhoced fy ofarôl.

'Dwi 'di deud do, maen nhw'n potsian gormod efo'r lleuad, y gwyddonwyr 'na.'

Cafodd Osian hwth gen i at y drws pellaf, ac yntau'n mwmial am y lleuad yn gariad i'r bardd a rwtsh felly.

'Does nelo hyn ddim byd â'r lleuad. Rŵan, taw â mwydro, a dos i mewn i'r tacsi.'

'Fedra i ddim gweld y drws! Achos y blydi niwl.'

'Dyna be ti'n gael am fyw mewn dinas.'

Camais i mewn i'r tacsi a braf oedd medru anadlu'n iawn eto. Hwyr braidd arnaf yn dychwelyd i'r gwaith. Oedd hynny ots? Be taswn i'n gyrru o'no yn syth? Anghofio am y dyn barfog ac Osian oedd erbyn hyn wedi dod i gyswllt â'i gilydd yn fy mhen. Ond dacw fo Osian bach, y bardd talcen slip, yn methu dŵad i mewn ac wedi gwasgu'i drwyn yn erbyn gwydr y ffenest, a dagrau, neu ddiferion angar, yn llifo i lawr o boptu crib y trwyn. O drueni drosto fo yr agorais i'r drws.

'Dwi 'di mygu.'

'Gwisga dy felt amdanat.'

'Doedd pethau ddim fel hyn ers talwm.'

'Dydyn nhw byth, nacdi. Rŵan cau hi. Dydi hi ddim ffit i neb ddreifio.'

Fi'n tanio'r tacsi, ac Osian yn pigo'i drwyn. Edrychai'n fach yn y sedd fawr ddu, ac meddai'n ddisgwylgar:

'Asu, dwi'n licio mynd mewn tacsi, yn enwedig mewn un gwyn sbesial fatha hwn. I lle 'dan ni'n mynd heddiw, Tania?'

'I ganlyn y dyn barfog i'r chwarel. Chdi fynnodd fynd.'

Tawodd Osian wrth i'r tacsi ddreifio heibio'r senedd a'r amgueddfa a'r brifysgol am y drydedd waith y dydd Gwener hwnnw. Rheiny'n anweledig yn y niwl; dim ond ein bod ni'n gwybod eu bod nhw yno. Gofyn i bob dreifar tacsi nabod y ddinas yn drwyadl. Y peth yn anochel, dydi, wrth ei chrwydro hi bob dydd; dadfachu ei chilfachau hi; dadsythu'r strydoedd syth; rowndio corneli a sgwario trofeydd. Dod i nabod pob blewyn dan ei chesail hi; sylwi ar y rhychau ar ei gwyneb hi'n mynd a dŵad yn ôl glaw neu hindda; dyfalu'i hymateb hi o flaen llaw.

'Lle mae dy ŵr di'r dyddiau yma?' meddai llais Osian o rywle.

'Ebargofiant.'

'Be oedd ei enw fo, eto?'

'Gruff.'

Roedd Osian yn sbio arnaf drwy gil ei lygad.

'Biti,' meddai toc.

'Biti garw,' meddwn innau wrth newid gêr i fynd i fyny'r allt.

A dyna ddiwedd y sgwrs honno. Aethom heibio

stondin sosej Sian ond doedd yr un o'r ddwy i'w gweld ynghanol y llwydni mawr. Meddwl am ei epig roedd Osian, roedd hynny'n amlwg: yn rhwbio'i ddwylo ac amneidio i ryw eiriau anghlywadwy yn ei feddwl. Un hawdd ei gynhyrfu oedd o, chwarae teg, ac yntau'n feddw gaib ran amlaf. Llonyddwch wedyn wrth iddo graffu drwy'r niwl ar y sinema ffilms budur i drio dallt enw'r ffilm, a darllen pob llythyren fesul un : 'N.. Y.. R.. S.. Y.. S.. G.. W .. Slofa lawr, Tania!'

'*Nyrsys Gwyllt* ydi enw ffilm heddiw.'

'Sami welaist ti'n mynd i mewn, bore 'ma? Heb fod i mewn yn fan'na ers blynyddoedd, fi. Ddim eisiau chwaith. Y sguthan wrth y drws yn 'cau gadael imi fynd i mewn, deud 'mod i'n drewi. Ond wedyn, thâl hi ddim i fardd fod yn rhy lân.'

'Pam hynny?'

'Colli'i rin.'

'Deuda di.'

Ymlaen â ni'n dau drwy'r niwl yn ara-deg-bach. Anodd dweud a oedd 'na bobl yn siopa neu yn y caffis. Eto, roedd hi'n ddigon clyd yn y tacsi, a sŵn murmur a chlecian y radio yn y cefndir yn brawf nad oeddan ni ar ein pen ein hunain yn llwyr.

'Welwn ni ddim byd yn y niwl.'

'Mi fydd yn gliriach ar lôn Sonderling. Uwch i fyny.'

'Be sy'n fy nghael i am yr hogia eraill yn y lloches,' meddai Osian yn annisgwyl wedyn, a ninnau'n troi tua'r dde, 'ydi eu bod nhw'n rhai mor sâl am sgwrsio. Fatha siarad efo dynion oes yr arth a'r blaidd, myn uffar.'

'Be ti'n feddwl?'

'Wel, ti'n trio siarad yn gall efo nhw am, be ddeuda

28

i, faterion gwleidyddol y dydd, neu dranc yr iaith, neu rywbeth bach felly, a wyddost ti be gei di'n ymateb?'

'Na wn i.'

Ochneidiodd Osian yn uchel. Llyncodd ei boer. Daeth dagrau i'w lygaid. A chrynai ei lais gan siom wrth iddo ddweud fel hyn:

'Dim byd ond rhyw *udo* a *gwichian* fatha *mwncwns*!'

Wrth ystyried y cyfan, dechreuodd Osian gynhyrfu. Daeth chwys i'w dalcen. Roedd yn snwffian ac yn ymbalfalu'n wyllt efo bwcwl y gwregys diogelwch. Os na watsiwn i, mi gaem un o'i bylia mynych o strancs. Nid yma, ar lôn Sonderling, oedd y lle. Ac nid rŵan, a finnau eisoes yn hwyr, oedd y pryd. Do, bu raid imi roi peltan hegar i'r hen fardd i ddod â fo at ei goed. Ac mi gafodd un arall ati hi, hefyd, nes ei fod yn tincian. Hynny am ein rhoi ni mewn sefyllfa beryg a finnau'n trio gyrru tacsi mawr gwyn drwy niwl y ddinas.

Peidiwch â phoeni, mae o wedi hen arfer. Yn wir, bron nad ydi o'n mwynhau cael swadan bob hyn a hyn, ynghyd â'r siars arferol:

'Nid yn bitw fel'na mae bardd yn siarad, Osian.'

'Ti'n iawn, Tania.'

'Nid fel snob.'

'Ti'n iawn. Bardd ydw i. Ac yn fodlon siarad efo fi fy hun gan amlaf. Ond Tania . . .'

'*Be rŵan?*'

'Dwi . . . dwi . . .' Roedd Osian yn dechrau cyffroi eto. '*Mae'r lloches fatha sw, mwncwns yn fy ngwatwar i. Dwi'n gorfod cloi drws fy llofft bob dydd er mwyn cael llonydd i farddoni!*'

Chafodd Osian ddim peltan arall. Sgrialodd brêcs y tacsi wrth imi ddod at gornel yn rhy gyflym. Y gwir

29

amdani oedd bod gen i biti mawr dros Osian oedd yn crio erbyn hyn. Dallt sut roedd o'n teimlo. Rhaid i bawb gael llonydd weithiau, yn enwedig bardd.

Hanner awr, dyna'r cyfan a gâi'r stori yma achos ro'n i dan guwch y bòs eisoes, wedi bod yn cyrraedd y gwaith yn hwyr, ac weithiau heb gyrraedd o gwbl. Bai Sian oedd popeth. Ond stori arall oedd honno.

Amhosib oedd mynd yn gyflym yn y niwl, er bod hwnnw bellach yn teneuo. Roeddan ni eisoes wedi cyrraedd cyrion y ddinas. Ar ôl dod ato'i hun, aeth Osian ati i chwarae â photensial stori'r dyn barfog. Dychymyg byw oedd eiddo Osian: dirwynai a datodai bosibiliadau a'r rheiny gan mwyaf wedi dod yn syth o ffilms teledu.

'Amau dwi ei fod yn trio denig oddi wrth rywun.'

'Oedd yn bendant.'

'Od bod ei drwyn o'n gwaedu. Pistyllio gwaedu, oedd?'

'Ddim cweit yn pistyllio.'

'Diddorol, diddorol iawn,' crafodd Osian ei ên. 'Côt wen a thrwyn yn pistyllio gwaedu, a rhywun ar ei ôl o. Ti'n gwybod be dwi'n feddwl?'

'Nacdw.'

'Ei fod o'n nytar. Y rhegi'n cadarnhau hynny. Mae hi'n sicr fod ei fys o mewn rhyw frwas neu'i gilydd. Ac yn mynnu mynd at y chwarel?'

'Y *diwydiant* roedd o'n galw'r lle.'

'Dydi o fawr o ddiwydiant mwyach. Ddim fel pan o'n i'n gweithio yno. 'Dan ni wedi cyrraedd eto?'

'Dal dy ddŵr.'

O'r diwedd, daethom allan o'r niwl, ac mi ddangosais y cwmwl mawr llwyd i Osian oedd fel blanced ariannaidd, o fan hyn, yn gorwedd dros y ddinas islaw.

'Ew, dyna hardd, ond sbia di, Tania, ar dy ddreifio!'

Wrth gwrs, erbyn cyrraedd y lôn benodedig, doedd dim golwg o'r dyn barfog yn unman a'r lle'n wag a chlir.

'Dreifia yn dy flaen fymryn.'

Wedi'i siomi roedd Osian, roedd hynny'n amlwg. A finnau hefyd, ran hynny, ond a dweud y gwir, doedd gen i ddim amser i fynd i grwydro'r wlad yn hel sgwarnog oedd ddim yn bod. Ac eto, be welsom ni ymhen rhyw ganllath ond dilledyn golau wedi'i daflu i ffôs. Sgrialodd brêcs y tacsi wrth iddo ddod i'w unfan.

Llithrodd Osian o dan y gwregys diogelwch, agor y drws a neidio allan dan duchan ei ddiléit. Plymiodd tua'r ffos. Roedd wedi gwirioni: dyma brawf bod y stori'n wir! Achos yr hyn gythrodd y bardd ynddi oedd dim byd llai na chôt wen y dyn barfog.

Daliodd Osian hi'n fuddugoliaethus uwch ei ben, a dal ei drwyn efo'r llaw arall wrth ddod yn nes at y tacsi: yn un patrwm hynod ar hyd cynfas golau cefn y gôt roedd haen brown o faw ci.

'Aros di lle rwyt ti efo'r rhacsyn sglyfaethus yna,' gwaeddais innau drwy'r drws agored, a rhyw gyfog ofnadwy yn codi yn fy ngwddw. 'Dydi honna ddim yn dod ar gyfyl fy nhacsi i.'

'Ond Tania . . .'

'Gad hi. Dwi'n mynd.'

'Tania!' Roedd Osian yn rhyfeddu. 'Mae hon yn dystiolaeth. Mae hi'n gliw.'

'Dwi'n mynd, meddaf i.'

'Ond fedrwn ni ddim mo'i gadael hi'n fa'ma, ar ôl dŵad yr holl ffordd. Defnydd crai!'

'Camgymeriad oedd dŵad yma'n y lle cyntaf. A dwi'n mynd, Osian. Y fi neu'r gôt, dewis di.'

Gollyngodd Osian y gôt yn bwdlyd. Roedd o yn ei ddagrau eto. Ella 'mod innau'n bod yn afresymol hefyd, ond roedd rhywbeth ynghylch yr holl fusnes – y dyn barfog, a'r gôt, a'r symbol baw ci ar y cefn – yn creu anesmwythyd mawr i mi. Peidiwch â gofyn be. Fedra i ddim ateb hynny eto. Fedrwn i ddim ateb Osian ac yntau'n gofyn 'run peth wrth inni deithio ar y goriwaered hyd lôn Sonderling a thua'r cwmwl llwyd.

'Ti'n bod yn hollol afresymol.'

'Tithau'n bod yn hollol wirion.'

'Ond y gôt yna oedd ein tystiolaeth ni!'

'Tystiolaeth i be?'

'I ddatrys dirgelwch y dyn barfog.'

'Stwffia dy ddirgelwch. Dydi o ddim ond bod.'

Digon ydi dweud 'mod i'n amau fy hun, dipyn bach. Heb os, roedd y pen yn troi a theimladau rhyfedd yn cyniwair. Mi bwdodd Osian weddill y ffordd adra, a myngial 'defnydd crai' bob hyn a hyn. Pwdu wnes innau wedyn am wastraffu f'oriau gwaith yn mynd i ganlyn chwiws y bardd talcen slip. Ia, mwyaf y meddyliwn i am hynny, mwyaf blin yr awn i.

Felly pan ddaeth neges drwy'r radio imi fynd i nôl cwsmer o'r bae, mi gafodd Osian yntau ffluch bron o'r tacsi.

'Cerdda weddill y ffordd. Wnaiff hynny ddim drwg i chdi.'

'Be am fy nghricymala fi?'

'Iwsia hwnnw fel dy ddefnydd crai. A gofyn i'r awen dy fwytho di pan ddaw hi draw tro nesa.'

'Ti'n hen beth galon-galed weithiau.'

'Mae'r bòs yn mynd i gael myll.'

'Wela i chdi fory?'

'Dwi'n mynd i weld Yncl Beci.'

'Dydd Sul 'ta?'

'Na.'

'Tania! Ond be am y dyn barfog? A'r stori?'

'Stwffia dy ddyn barfog, dwi 'di dweud unwaith. A ffeindia dy stori dy hun, y pansan meddwyn uffar.'

Sbydu o'no wnes i wedyn, yn anhapus braidd, dwi'n dweud dim llai, a dagrau o rywle wedi dechrau cronni. Yn y drych oedd yn dangos pob dim, dyna lle roedd Osian yn estyn ei fraich ar ôl y tacsi a golwg unig gythreulig arno.

Neu efallai mai gweld fy llun fy hun oeddwn i. Anodd dweud weithiau.

5. Tania a Sian

Lawr allt fuodd hi wedyn drwy'r dydd. Y pnawn yn anniffuant rywsut, a'r niwl, oedd erbyn hyn wedi codi, yn dal i fygwth syrthio'n ôl. Cawn ddianc i'r wlad fory, ddydd Sadwrn, i weld Yncl Beci. Byw roedd o tu hwnt i'r goedwig ar ffin y ddinas. Pan oedd rhywun yno'n gorwedd yn y gwely gyda'r nos yn gwrando ar ddafad yn brefu, neu'n clywed Beci'n torri priciau dan y bondo ben bore, breuddwyd oedd y ddinas.

Roedd dwndwr y môr i'w glywed o'r tŷ pan oedd y gwynt yn dod o'r de. Ia, hogan o'r wlad oeddwn i yn wreiddiol, fel lot o bobl y ddinas. Da fyddai dychwelyd yno fory, petai hynny ond am noson.

Siwrneiod bach ges i efo'r tacsi weddill y dydd: o'r stesion i ganol y dre, o'r stesion i'r senedd, o'r stesion i'r parc diwydiannol, o'r stesion i'r ysbyty, ac yn ôl i'r stesion bob tro. Neb o'r teithwyr mor hynod â'r teithiwr barfog ben bore. Ond siŵr bod gofyn am fwy o gynnwrf mewn un diwrnod yn ormod. Cofiwch, mae pawb yn werth sylwi arnyn nhw. Chewch chi ddim byd mwy difyr na phobl. Mi ddylwn i wybod hynny fwy na neb.

Ond heddiw, am ryw reswm – y niwl ella, a'r tywydd mwll – doedd fawr o sgwrs gan neb chwaith. Trio efo un frawddeg fyddwn i fel arfer. Dyna ddysgodd Frank imi – mêt sy'n torri gwallt – sef bwrw brawddeg at y cwsmer fel mae pysgotwr yn bwrw llinyn ei enwair i'r

34

dŵr, a disgwyl am fachiad. Mi gewch rai'n gafael: dyna ni wedyn yr holl ffordd, hanes teulu hwn a hwn, neu hanes busnes hon a hon. Does dim taw ar rai, fel petaen nhw am y gorau'n trio cyffesu a mynd i rywle 'run pryd. Sôn am eu trip i ffwrdd fydd y dychweledigion. Finnau'n rhoi cystal cyfle am sgwrs i'r rhain i gyd fel bod rhai weithiau'n gwarafun gorfod dod allan o'r tacsi. 'Cadwch y newid,' dyna fyddan nhw'n ddeud bob tro, a gwenu wrth roi pres papur imi drwy'r agen wydr. Cofiwch, nid dyna 'nghymhelliad i; pres, dwi'n feddwl.

Sbio'n gam fydd rhai o'r dynion hefyd; meddwl 'mod i'n mynd i drio'u bachu nhw ar ôl gyrru'r tacsi i fan anghysbell. Rhai o'r lleill yn amheus: fydd hon yn gallu dreifio'n iawn? Merched wedyn, ambell un, yn siomedig am nad oes dyn yn y ffrynt sy'n barod i fflyrtio efo nhw yn y cefn.

Pwy arall sydd 'na? Dyna i chi'r bobl mewn siwt sy'n dŵad o Lundain ac yn mynd i'r senedd, rheiny'n dweud dim bw na be. Mae tramorwyr eraill yn ddigon o hwyl. Ffasiwn holi sydd weithiau; finnau wrth fy modd yn cael dweud; dangos be dwi'n wybod am y ddinas nes 'mod i'n teimlo, bron, mai un o fa'ma ydw i. Licio rhoid argraff dda o'r ddinas hon iddyn nhw, dydw, a nhwthau newydd gyrraedd.

Surbwch braidd ydi lot o bobl, yn y diwedd, mi fuasech yn synnu, a hollol ddi-swyn. Ond ar y cyfan, fiw imi gwyno.

Am bump gadewais y tacsi am bum munud i nôl coffi a chopi o'r *Eco Fin Nos*. Cyrraedd yn ôl a gweld bod taflen wedi'i lapio'n sgrôl dan un o'r weipars a thamaid o gortyn main yn cadw'r sgrôl yn ei lle. Mor ofalus â phetai hi'n sgrôl go iawn, datodais y cortyn, dadlapio'r papur a thrio darllen y sgwennu hogyn-bach. Does dim eisiau gofyn sgwennu pwy oedd o. Ia, Osian. A be oedd ei neges?

Cynnig maddeuant roedd y creadur a chrafu tin hefyd. Cerdd oedd ganddo fo, un newydd eto a'r inc yn dal yn wlyb. A honno, mor ystrydebol â'r lleill i gyd, yn mynd fel hyn:

> '*O Tania, tania'r tacsi, dos â mi*
> *Ar hynt dy dacsi gwyn sydd megis march*
> *Gwyn goludog Rhiannon. A rhof i ti*
> *Dy anfarwoldeb teilwng a phob parch*
> *Mewn cerdd o fawl. Ie, fe'th folaf dithau'n awr*
> *A dweud fel hyn: rwyt wych, rwyt hardd,*
> *A'th hynt fel hynt fy Nghymru (fyny, lawr).*
> *A'ch dwy'n f'anfarwoli innau, sef y bardd.*
> *Felly, Tania, tania'r tacsi, dos â mi*
> *I ganlyn gyrfa drist dy Gymru di.*'

A neges wedi'i sgrialu ar y gwaelod:
'*Oddi wrth dy was ffyddlon, gyda phob maddeuant, Osian.*'

Os oedd hwn eisiau pàs am ddim i rywle, yna châi o ddim. Prynu ffafr efo cerdd, wir! Oedd o'n meddwl 'mod i'n ffŵl? Ella mai eisiau menthyg pres roedd o, i brynu gwin yn Caffi Stesion a sosej gan Sian ar ei stondin. Fuasai hynny ddim byd newydd. Wel, châi o ddim hynny chwaith. Yn wir, mwyaf y meddyliwn amdano fo'n crafu tin felly, mwyaf y gwylltiwn. Châi'r diawl bach byth bàs i nunlle arall eto; fo a'i rigymau gwellt oedd yn gwneud dim byd ond hambygio pobl a phethau.

36

Wyddoch chi be wnes i? Gwasgu'r gerdd yn belen gron, ailglymu'r cortyn i'w dal yn dynn felly, a'i gwthio i mewn i flwch llwch y tacsi, i ganol y stwmps sigarét. Tanio ffag arall wedyn i ymdawelu, agor ffenest y tacsi i adael y mwg ddenig, a bodio'r papur newydd i weld be arall oedd wedi bod yn mynd ymlaen ers min nos neithiwr.

Fawr ddim, fel arfer: sgandal yn y senedd; un banc yn llyncu banc arall; rhywun enwog wedi bod yn cambyhafio; un o sêr y byd opera'n dod i ganu cyngerdd efo'r côr meibion a llun ohoni'n gwenu; dau dŷ wedi llosgi; maeres y ddinas a mistimanars efo dyn fengach; stori bod chwarel Gororwig yn cau'n gyfan gwbl. Straeon bob dydd fel hyn oedd yn yr *Eco Fin Nos*, ond be oedd i'w ddisgwyl a hwnnw'n bapur bob dydd?

Troi wedyn at newyddion gweddill y byd. Fawr ddim yn digwydd yn fan'no chwaith, yn ôl y papur newydd. Ffatrïoedd yn cau yn Lloegr. Gwastraff cemegol wedi'i golli hyd lôn fawr. Tymheredd y ddaear yn codi. Bygwth rhyfel yn fan hyn. Corwyntoedd a gorlifo yn fan arall. Newyn yn fan acw. Dim byd newydd.

Chwarter i saith oedd hi – chwarter awr cyn darfod a 'nhin yn sgwâr, a cherdd sâl Osian yn mynd drwy 'mhen – pan ddaeth dyn trwsiadus, canol oed i mewn i'r tacsi a gofyn am gael mynd rownd y ffordd gylchol; honno oedd yn cylchu canol y ddinas. Y ffordd gylchol sy'n pasio heibio i'r senedd a'r brifysgol a'r amgueddfa genedlacthol, ac wedyn heibio'r banciau, y gwestai mawr, yr amgueddfa natur, yr amgueddfa geir, a'r cei, a'r neuaddau cyngerdd, a'r eglwys Brotestannaidd, a'r tŷ opera, cyn rowndio'n ôl eto am y senedd.

Mwstás oedd gan hwn. Roedd ei wyneb yn gyfarwydd, ond bod ei gorff wedi ei guddio gan gôt law ddrud.

'Dach chi ddim eisiau stopio yn nunlle, syr?'

'Rownd unwaith neu ddwy, cariad. Mi ro i wybod ichi pryd i stopio.'

Boi od. Ac odiach yr aeth o. Deirgwaith eisoes mi fuom rownd y ffordd gylch, a finnau'n gorfod gofyn ar ddechrau pob cylch newydd:

'Ac eto, syr?'

Fo'n amneidio arnaf yn y drych, ac yn gwenu, ac yn dweud, fel petai hynny am y tro olaf bob tro:

'Un waith eto, cariad.'

Ar ôl mynd bum gwaith heibio'r senedd, mi ddechreuais deimlo'n annifyr. Bwrw cip arno yn y drych a gweld ei fod o'n mynd i gyd. Be ar y ddaear oedd o'n ei wneud yn y cefn 'na? Sbiais yn agosach wedyn a'i weld o'n gwingo gwên ryfedd. Wn i ddim be fuasech chi wedi'i feddwl na'i ddweud. Be wnes i – od, efallai – oedd cymryd yn fy mhen bod y dyn mwstás yn chwarae efo fo'i hun.

Cofiwch, fedra i ddim profi dim byd. Welais i mohono fo'n gwneud dim dan y gôt law. Ond digon oedd digon. Tynnais fy nhroed oddi ar y petrol, a dod â'r tacsi i stop go sydyn heb fod yn bell o'r senedd. Ac roedd fy nghalon innau'n mynd i gyd.

'Popeth yn iawn, del?' meddai'r dyn yn ddigywilydd wrth ddal fy llygaid yn y drych.

'Cerwch allan y funud yma, y dyn anghynnes i chi!'

Cododd y dyn ei aeliau fel petai o'n synnu, ac yn chwerthin am fy mhen 'run pryd. Finnau'n fferru rhag ofn iddo fo wneud rhywbeth anllad, a rhag imi ddal y llygaid yn y drych eto.

Dim ond ymhen munud neu ddau y camodd y dyn o'r diwedd allan o'r tacsi. Taclusodd ei wallt, ac estyn am bres o'i boced. Ugain punt: ffluch iddi ar y sedd gefn. Mynegodd ei ddiolch yn gwta a cherdded o'no a'i war yn syth. A dwi bron yn siŵr imi ei glywed yn sgrytian chwerthin wrth ymbellhau i lawr y stryd.

Roedd hi wedi troi saith ac yn bryd troi am adra. Cyn mynd, fodd bynnag, mi wnes rywbeth annisgwyl. Ella bod y dyn mwstás wedi styrbio fy meddwl. Ia, ella mai dyna be oedd. Neu 'mod i'n mynd yn wirion!

Am y trydydd tro y diwrnod hwnnw, mi ddreifiais at gyrion y ddinas a'm bryd ar olion y dyn barfog. Roedd y dydd yn duo a'r niwl yn dal i hofran a fin nos yn y ddinas ar fin dechrau. Hon oedd rhan ddifyrraf y dydd mewn llawer ystyr: y tafarndai'n cynnau golau, cysgodion ar y stryd yn ymestyn, to'r sencdd a'r brifysgol wedi'i oreuro gan yr haul yn machlud. Oedd, roedd pethau'n fwynach ac yn arafach, heblaw am y ceir a'r bobl yn trio mynd adra i fwrw Sul. Adra i weld Yncl Beci yr awn innau fory, ac mi awn â'r bcic cfo fi ar y trên, a hen ddillad amdanaf.

Stopiais y tacsi wrth ymyl stondin sosej Sian, a siarad efo hi am funud neu ddau. Eisiau sôn am y dyn mwstás oeddwn i, mae'n amlwg. Eisiau siarad efo rhywun hefyd. Un smala oedd Sian, wrth ei bodd lle roedd hi ac yn dallt be oedd be. Roedd wedi newid lliw ei gwallt ers dydd Llun. Cochan oedd hi bellach, lle'r arferai fod yn flondan. Chwarddodd dros y lle pan glywodd hanes y dyn mwstás, a'i alw'n 'wancar'.

Ymddangosai'r cyfan yn fwy diniwed ar ôl dweud wrth rywun, yn ddoniol, bron.

Roedd Sian yn mynd allan y noson honno, ac fe'm gwahoddodd innau i fynd efo hi, ond awn i ddim. Wedi blino gormod a'r dydd wedi bod yn dipyn o straen, rhwng popeth. A ninnau ar ganol sgwrs ddifyr mi ddaeth 'na gwsmer i hawlio sylw Sian. Yn bigog braidd y dychwelais at y tacsi: toedd 'na gwsmeriaid dragywydd yn ymyrryd ar fywyd personol rhywun?

Yn gês a hanner, roedd Sian wrth ei bodd yn dweud pethau awgrymog wrth y dynion am eu 'sosejes' nhw, gan wybod yn iawn ei bod yn gwneud jôc wael. Gwnâi elw mawr ar y stondin. Eiddigeddwn wrthi, weithiau, am ei bod yn medru bod mor bowld a dal i chwerthin. Ond roeddan ni'n ffrindiau ers blynyddoedd.

Gyrru ymlaen wnes i wedyn, a throi'r tacsi at lôn Sonderling unwaith eto. Doedd neb wedi symud y gôt wen a baw ci arni oddi ar lawr. Pedwar cam syml oedd yna i'w dilyn, sef hyn: tyrchu am gerdd Osian o'r blwch llwch, a defnyddio'r papur fel maneg; nôl côt fudur y dyn barfog oddi ar y lôn; iwsio'r gôt fudur i sychu'r sedd gefn ar ôl ymweliad y dyn mwstás; ac yn olaf, lluchio'r cyfan i gist gefn y tacsi.

Dyna hynny wedi'i wneud. Do, mi gyfogais i mewn i'r ffos ar ôl gorffen, ond rywsut, roedd hyd yn oed hynny'n braf, a chymaint o bethau wedi bod yn codi pwys arnaf drwy'r dydd. Cawn fàth ar ôl mynd adra. Ond nid cyn llosgi'r gôt a holl fudreddi arall gweddill y dydd mewn tân yn yr ardd.

Yn fy ngarej rhois beg dillad dros fy nhrwyn i atal oglau'r baw ci ar y gôt rhag codi cyfog arnaf. Gwisgais fenig rwber am fy nwylo. Codi'r gôt wen, a baw ci a phob math o bethau hyll eraill arni, a cherdd Osian wedi'i stwffio i'w phoced, a mynd â'r cyfan yn ei grynswth i ben pella'r ardd. Allan o boced arall y gôt mi syrthiodd 'na ddarn papur ond mi gafodd hwnnw fod am y tro. Digwydd bod, roedd can o baraffîn yn y garej hefyd, ac wedi trwytho'r bwndel yn hwnnw, mi rois fatsian yn y cyfan, a chamu'n ôl wrth i'r tân gydied a'r fflamau lamu. Crebachu wnaeth y gôt ar unwaith. Melynu a chrebachu wnaeth y papur a cherdd Osian, fel petai'n heneiddio o flaen fy llygaid. Ia, peth braf iawn oedd gweld olion y dydd Gwener yma'n llosgi: y gôt wen, y baw ci oedd wedi gwneud siâp od ar ei chefn; geiriau hambygiol Osian ac olion y dyn mwstás. Popeth yn cael ei ddifa gan y fflamau. A chyn i'r tân ddiffodd, mi drois yn ôl at y tŷ lle roedd y ffôn yn canu. Ychydig o lonydd oedd i neb yn y ddinas; llonydd o'r math iawn, dwi'n feddwl.

Wrth gamu dros y trothwy ac i mewn i'r tŷ, mi ges ryw ysfa sydyn o euogrwydd mawr, fatha taswn i wedi gwneud rhywbeth mawr o'i le. Doeddwn i ddim, wrth gwrs, fel y gwyddoch. Ond pethau od ydi'r meddwl a'r dychymyg: tybied weithiau, ydw, mai'r un un ydi'r ddau. Ella imi fod braidd yn od, efo'r tân ac ati, ond hawdd gweld mai eisiau cael gwared ar olion hyll y dydd oeddwn i. Dim byd mwy na hynny. Yn y bàth yn ddiweddarach, mi lwyddais hyd yn oed i argyhoeddi fy hun imi fod yn reit resymol, a dweud y gwir, yn wyneb yr holl anfadwaith roedd pobl eraill yn ei greu.

Llais Osian oedd ar y peiriant ateb, wedi meddwi, yn fyr ei wynt, ac yn gofyn oeddwn i wedi derbyn ei gerdd, ac yn holi fy marn arni. Mi gâi witsiad tan ddydd Llun am ateb. Llais Maldwyn, a llais Tina hefyd. A llais dyn yn siarad Saesneg. Tynnu'r ofarôl werdd, a'i rhoi mewn bwced i socian. Bàth, a thamaid o fwyd, er nad oedd arna i fawr o archwaeth. Ffonio Yncl Beci. Sbio dipyn ar y teledu: fawr ddim i'w weld ar nos Wener. Doedd dim yn weddill i'w wneud y dydd Gwener hwnnw ond trio cysgu. Siŵr iawn imi hel meddyliau am y dyn barfog. Wedyn am Osian. Wedyn am y dyn mwstás. Wedyn am bethau mwy cysurlon fel Sian, a ffags, a'r trip yfory. Ond yn y diwedd mi ddaeth Huwcyn Cwsg i roi stop ar bopeth.

Cofio meddwl jyst cyn huno, tybed oedd y tân yn yr ardd wedi difa pob dim? Tybed oedd o wedi diffodd eto?

Wedi blino? Oeddwn, yn ofnadwy.

6. Tania

Un peth oedd codi cyn cŵn Caer, peth arall oedd mynd allan o'r tŷ, beicio i'r orsaf, a dim ci na neb o gwmpas. Roedd y dydd yn dal yn lân am y tro, ond bod gwich y beic yn tarfu ar y diffyg sŵn, a'r ddinas ei hun yn llawn baw hefyd. Wnes i ddim boddran gwisgo'n grand, dim ond ffeindio rhyw hen bethau blêr. Fawr o bwynt gwisgo'n grand: fyddai Yncl Beci byth yn sbio. Toedd o'n fy nabod i'n rhy dda? A phrin y gwelwn neb del yr adeg hon o'r dydd.

Felly, a finnau mewn ofarôl dreifars tacsi drwy'r wythnos, peth braf oedd gwisgo hen bethau llac: jeans a chrys-T.

Tair milltir oedd at y stesion. 'Run ffordd yr awn efo'r tacsi bob bore, ond bod modd byrhau'r trip ar y beic wrth dorri ar draws gwlad. Anaml y down ffor'ma mor gynnar â hyn efo'r tacsi. Roedd y dynion llefrith eisoes ar eu rownds efo'u ceir trydan ac yn gwneud sŵn fel gwenyn meirch. Plant wedyn bob hyn a hyn ar eu beics nhwthau a golwg arnyn nhw fatha tasan nhw ar dân i orffen y rownd bapur newydd, nôl eu pres, a dychwelyd i'w gwlâu.

Roedd yr haul yn dechrau cnesu'r aer a phopeth yn teimlo'n ffres. Yn nes at ganol y ddinas roedd mwy o eneidiau byw i'w gweld: siopwyr yn gosod arwyddion ar y pafin, sef pennawd papur heddiw. Rhai wedyn yn llnau eu ffenestri, eraill yn llnau'r pafin o flaen y siop.

Fawr o werth yn hynny, ddwedwn i, a'r ddinas mor fudur. Eto, digon hawdd fuasai smalio ei bod hi fel arall yr adeg hon o'r dydd; fel y deudais i, roedd y dydd i'w weld yn dal yn lân am y tro.

Dyna godi bawd ar Bob a Glenda a Math oedd ar y shifft fuan ac mewn rhes yn eu tacsis o flaen y stesion. Golwg hanner cysgu ar y tri, wedi bod wrthi ers pedwar o'r gloch y bore; dwn i ddim be oedd eu teuluoedd nhw'n feddwl. Yn y stesion mi ofynnais i'r giard lwytho'r beic ar y trên, yn y rhan tu ôl i'r injan; hwnnw eisiau cildwrn am wneud hynny, y diawl diegwyddor.

Mi ges le imi fy hun yn y trên, diolch byth, i gael sbio ar y darn papur oedd wedi bod ar lawr y garej dros nos. Oeddwn, mi oeddwn wedi dod â hwnnw efo fi. Ffotograff oedd o, un du a gwyn. Ofn arna i rywsut bod rhywun yn sbio, er nad oedd neb o gwmpas. Nid 'mod i'n gwneud dim o'i le, ond mae rhywun yn hel meddyliau yr adeg honno o'r bore fel mae rhywun gyda'r hwyr hefyd. Mae'r dydd gwag fatha tasa fo'n datgelu pob dim. Wel, be ddatgelais innau yn y ffotograff ond llun o farwnes Plwy Pedran, honno oedd biau'r gweithdy coed lle gweithiai Beci a'i fêts, yn gwisgo bicini!

Be ar y ddaear . . .? A hithau'n ddynes ganol oed!

Ond prin y ces i jans i sbio ar y llun cyn i'r giard ddod o gwmpas eto i ofyn am bres ticed. Hwnnw'n cuchio mor od nes imi amau ei fod o'n gwybod am y ffotograff.

Braf fyddai gweld Yncl Beci. Awran arall ar y trên ara-deg, ac mi fyddai'r byd yn un gwahanol. Heibio cyrion y ddinas â ni yn ara-deg-bach a'r trên yn stopio bob pum munud fatha tasa fo'n stopio i gael sgwrs efo polion letrig a chytiau. Awr o daith oedd hi, awr ddiddiwedd bob tro. Bob hyn a hyn stopiai'r trên mewn gorsaf er mwyn i bobl gael dŵad i mewn. Roedd Huwcyn Cwsg yn dal yn eu llygaid nhwthau hefyd.

Erbyn cyrraedd y stesion agosaf at ein pentref ni roedd cryn ddwsin yn y trên a finnau, rhwng sbio ar y rheiny a synfyfyrio am y dyn barfog, wedi anghofio sbio eto ar y ffotograff. Rŵan roedd hi'n rhy hwyr. Doedd fiw imi adael i Beci ei weld o, nagoedd, ac yntau yn ei oed a'i amser; beryg iddo gael trawiad ar y galon wrth weld ei fòs bron yn noethlymun ar draeth. Stwffiais yr amlen i'r bag ar gefn fy meic.

Roedd o'n fwy na thad imi, Beci, a hynny am nad oedd o'n dad imi, mae'n siŵr. Weithiau byddwn yn dwrdio fy hun am beidio â mynd i'w weld yn ddigon aml, yn enwedig ac yntau'n heneiddio. Faint oedd ei oed o, bellach? Colli cownt mae rhywun. Pum deg pump, chwe deg, saith deg?

Yn ôl ar gefn y beic eto, a thaith rhyw ddwy filltir o'm blaen ar gefn hwnnw, heibio ymyl y goedwig ac at ein pentre ni. Rhyfedd o beth fel roedd rhywun yn cyffio mewn trên a hynny mewn byr o amser. Ella mai fi oedd yn heneiddio. Do, mi gymrais sbelan i godi sbîd eto, ond cyn pen fawr o dro roedd yr awel i'w theimlo'n braf drwy 'ngwallt a'r coesau'n mynd fel petaen nhw wedi bod yn gaeth lot rhy hir. Dydan ni ddim yn symud ddigon arnyn nhw, ddwedwn i, coesau.

Gwyddai Beci o'r gorau, mae'n rhaid, fy mod i ar fin cyrraedd, achos dyna lle roedd o'n sefyll yn nrws y tŷ a ffedog amdano. Sws glec ar fy moch, fe'm daliodd i wedyn led braich oddi wrtho er mwyn fy ngweld i'n well. Mi ddaliwn innau fy ngwynt bob tro cyn i Beci ddweud ei farn.

45

'Ti 'di teneuo, Tania.'

Yr un hen gân.

'Dach chi'n edrych yn dda, beth bynnag. Lle ga i roid y beic?'

'Duw, gad iddo fo tu allan i'r tŷ, yn fan hyn.'

Cyfeiriodd Beci at wal y tŷ efo'i law agored. Roedd o'n gwenu.

'Heb ei gloi?'

Chwarddodd yr hen ddyn, a rhoi sws imi ar fy moch arall, a dweud, i'm hatgoffa, nad yn y ddinas ro'n i rŵan. Ac imi ddŵad i'r tŷ lle roedd o wedi paratoi clamp o frecwast.

'Ond Beci, dach chi'n gwybod yn iawn na fydda i byth yn bwyta brecwast!'

'Gwybod yn iawn, ydw,' meddai Beci'n ddireidus a'm gwthio o'i flaen i mewn i'r tŷ. A finnau'n dechrau gwangalonni.

Oglau cyfarwydd oedd yn nhŷ Yncl Beci, a hwnnw byth yn newid. Anodd dweud oglau be oedd o: cymysgwch o oglau te'n stiwio a thatws yn berwi a choed yn llosgi ar y tân. Mewn gair: oglau 'mhlentyndod i, peth cysurlon iawn. Clustogau tamp ar y ddwy gadair isel, a thân yn y grât yn gwneud i'r dŵr boeri allan o'r coed. Hawdd oedd pendwmpian yn y lle gwag ynghanol hyn i gyd.

'Dyma chdi baned. Brecwast mewn dau funud.'

Fedrwn i ddim peidio gwenu wrth glywed Beci'n mynd trwy'i bethau yn y gegin. Roedd o wrth ei fodd yn gwneud sioe pan gyrhaeddai rhywun gyntaf. Dipyn o berfformiwr distaw-bach oedd Beci hefyd, ond saer wrth ei grefft.

'Dos o'ma, y giaman goblyn!'

Sŵn clindarddach llestri, a chaead tecell yn disgyn ar lawr. Sŵn anifail yn sgrialu o'no a Beci'n tagu rheg.

'Dach chi'n iawn?'

'Blincin cathod dan draed . . . Allan!'

I mewn y daeth Beci wedyn a chowlad o frecwast ar hambwrdd yn ei law, a chwys yn sgleinio dan ei drwyn ac ar ei arlais.

'Tyrd at y bwrdd. Mi gei chwaneg o de yn fan hyn.'

A finnau'n tynnu fy nghadair at y bwrdd, o flaen fy llygaid arlwywyd swmp mawr o bethau seimllyd: wy unllygeidiog oren; cig moch pinc a gwyn; tair sosej wedi brownio; tomatos a'r croen yn ymddiosg a siwgwr ar y top; ffa pob; bara gwyn wedi'i dorri'n dafellau, efo menyn; jŵg o laeth hufennog ar gyfer y te oedd mewn tebot metel a gorchudd streips gwlân drosto. Y te hwnnw oedd i olchi'r bwyd i gyd i lawr y lôn goch.

Mentrais ddweud, 'dwn i ddim os medra i fanijo hyn i gyd', ond cododd bys ceryddu Yncl Beci oddi ar y bwrdd a dŵad tuag at fy ngwyneb, fatha tasa fo am ei ddefnyddio fel trosol i agor fy ngheg. Gwenu roedd o, a doedd fiw i finnau anufuddhau. Un poenus fuodd Beci erioed am fwyd a maeth er nad oedd yntau ddim dau damaid ei hun.

'Bwyta fo bob tamaid!'

Yr unig gysur wrth imi lwytho pob fforchaid i mewn imi oedd y cawn, cyn bo hir, a chyn i'r saim dreiddio gormod, chwydu'r cyfan i lawr y toilet. A hynny heb yn wybod dim i'r hen ddyn fyddai'n dal i fod yn eistedd yn y gegin yn sipian ei de.

'Da hogan!'

Roeddwn ar fy sosej olaf, a honno'n teimlo'n dew a chnawdol rhwng fy nannedd a'm tafod.

'Wel, pa hanesion o'r ddinas?'

'Fawr ddim yn digwydd, deud y gwir. Heblaw am y pethau sy'n digwydd bob dydd.'

Rhyddhad ddaeth i wyneb Beci. Finnau'n llyncu'r sosej oedd prin wedi'i chnoi. Bron nad o'n i'n ei theimlo'n llithro yn ei chyfanrwydd i lawr fy nghorn gwddw, ac yn cael ei dal ar letraws yn yr hafn rhwng fy nwy fron.

'Ia, felly mae hi, yntê. Fawr ddim yn digwydd yn fa'ma chwaith.'

Tolltodd fwy o de inni'n dau. Roedd hi'n dawel yma, heblaw am sŵn y tân yn y grât. Pryd fentrwn i, tybed, ymadael am y tŷ-bach i gyfogi, heb godi amheuaeth? Ochneidiodd Beci. Roedd sŵn y cloc i'w glywed hefyd.

'Mae hi'n braf dy gael di yma.'

'Braf bod yma.'

'Ond mae'n siŵr na ddoi di ddim i fyw yma eto?'

'I fan hyn? Mae'n amau gen i . . .'

'Siŵr iawn, siŵr iawn. Dim gwaith nagoes,' a Beci fel petai o'n ymddiheuro drostaf i.

'Nagoes.'

'Dim i ddreifars tacsi!' ac mi chwarddodd yn galonnog ar ôl llyncu'r te yn ei geg.

Distawrwydd eto.

'Rhaid imi fynd i'r tŷ-bach, Beci.'

'Rhaid, siŵr iawn, del bach. A cym dy amser. A watsia foddi!'

Hon oedd hoff jôc Beci erioed. Bob tro, ers cyn cof, yr awn i'r tŷ-bach mi glywn y siars, 'watsia foddi', a chwerthin wedyn. Ond dwi bron yn siŵr imi glywed, am y tro cyntaf y dydd Sadwrn hwnnw, Beci yn dweud wedyn i mewn i'w gwpan de:

'Mi fasai'n chwith arnaf i hebddat ti.'

Taswn innau heb fod ar gymaint o frys, mi fyddwn wedi mynd yn ôl at yr hen foi a rhoi fy mraich o gwmpas ei ysgwyddau cul o, a sws iddo ar ei dalcen moel, a'i sychu hi o'no wedyn efo cwt ei ffedog. Ond y gwir amdani oedd bod y brecwast yn un cybôl o gyfog sur wedi dechrau cronni yng nghefn fy ngheg. Ac yn bygwth taflyd ei hun dros waliau papur-wal pinc Beci yn y pasej cul tywyll âi at y tŷ-bach yng nghefn y tŷ.

Roedd oglau stwff llnau toilet yn llenwi'r lle. Mi helpodd hynny fi i chwydu. Yn fy mhen, wrth i'r bwyd lifo dros fy ngwefusau ac i mewn i'r bowlen borslen, dro ar ôl tro yn hyrddiadau caled, ro'n i'n clywed geiriau fel 'anniolchgar', a 'cywilydd'. Am un funud tybiwn imi glywed sŵn traed tu ôl imi a'r drws yn cau wedyn mewn ysbaid. Euogrwydd oedd hynny, does dim dwywaith, nid sŵn traed Beci na neb arall, na. Pan mae corff rhywun yn adweithio i bethau, mae'r synhwyrau'n chwarae mig; ffaith ichi.

Ond wir, ar y diwedd, er gwaetha'r oglau drwg yn codi o'r chŵyd, a'r syniad bod fy mhen mewn toilet, a'r surni oedd yn llosgi cefn fy ngwddw ac wedi glynu yn fy nannedd, ac er bod y llygaid yn dyfrio a'r trwyn yn rhedeg, ac er fy mod yn ysgwyd gan euogrwydd ac yn chwys oer o gywilydd, braf, unwaith y sefais ar fy nhraed a thynnu'r tsiaen a rhwbio past blas mint dros fy nannedd, oedd cael trwyn, clustiau a bol gwag. Dach chi'n gwybod be dwi'n feddwl, dydach?

7. Tania a Beci

'Mae'r gweithdy'n cau,' meddai Yncl Beci a ninnau'n dau'n pensynnu o flaen y tân, wedi bod yn trafod hyn a llall ac arall am awran.

'Be dach chi'n feddwl?' roedd blas chŵyd yn dal yn fy ngheg ac yn troi arnaf i. Gwneud imi hefyd fyngial siarad rhag ofn datgelu'r oglau drwy'r aer i Beci.

'Maen nhw am gau'r gweithdy,' meddai Beci'n dawel eto.

'Cau y gweithdy?'

'Ia.'

Amneidiodd Beci'n ddigyffro. Roedd o, mae'n amlwg, wedi derbyn y newyddion ers sbel.

'Ond pam?'

''Dan ni ddim yn gwneud digon o elw.'

'Ond be am eich jobsys chi?'

Petrusodd yr hen foi.

'O'm rhan i, dwi ar fin cyrraedd oed ymddeol.'

'Ia, ond dach chi'n grefftwr gwerth chweil o hyd. A be am y lleill i gyd, Aled a Siôn ac Aneirin a'r gweddill?'

'Ia, yndê.'

Ymsythodd Beci yn ei gadair, a dweud, o ran esboniad:

'Mae hi am agor amgueddfa goed i'r twristiaid. Mi fydd 'na waith i rai yn fanno.'

'Y farwnes?'

Amneidiodd eto. Cofiais am y ffotograff o farwnes Plwy Pedran mewn bicini, yn yr amlen lwyd oedd wedi'i chuddio rŵan yn y bag ar gefn fy meic, a chywilyddio eto.

'Amgueddfa goed?'

'Gwerthu crefftau pren a ballu.'

'Crefftau pren! Lle gafodd hi syniad felly?'

'Partner busnes newydd ganddi. Rhyw foi diarth.'

Roedd Yncl Beci'n troi ei ddau fawd o gwmpas ei gilydd, yr unig arwydd ei fod o'n teimlo'n anniddig. Mi edrychais innau ar y tân, yn y fflamau, i weld a oedd 'na fwy o arwyddion i'w cael yn fanno.

'Maen nhw'n dweud,' meddai Beci'n ara-deg wedyn, 'ei bod hi am wneud 'run peth efo'r chwarel sydd gynnoch chi acw.'

'Chwarel Gororwig?'

'Gororwig.'

'Yn amgueddfa?'

'Felly maen nhw'n dweud.'

Saib hir, a bodiau Beci'n dal i droi.

'Fedrwch chi wneud dim am y peth?'

Atebodd Beci ddim.

'Bitsh wirion.'

A dyna'r unig beth y gallwn i ei ddweud, yn gwbl ddi-fudd.

Teimlo ro'n i ryw wal yn codi tu mewn. Meddwl am lun barwnes Plwy Pedran ym mag fy meic. Cofio am y trip tua'r chwarel efo'r dyn barfog. Sylweddoli galar Beci o golli ei waith a chwmni ei fêts yn y gweithdy, a'r gweithdy'n troi'n amgueddfa. Meddwl am y chwydu. Deisyfu mynd yn ôl i'r ddinas a gweld fy nhacsi eto, Osian, a Sian. Clywed y tân yn suo; cloc yn tician;

dafad tu allan yn brefu. Caeais fy llygaid. Roedd dŵr i'w deimlo rhwng f'amrannau wrth iddyn nhw gau.

'Paned arall?' meddai Beci, a chodi i roi coedyn heglog ar y tân.

'Dim diolch.'

Doedd corff Beci ddim yn llenwi ffrâm y drws wrth iddo fynd i mewn i'r gegin. Pan ddaeth yn ôl a'r tebot yn boeth yn ei law eto, heb y gorchudd streips, a'r stêm yn codi drwy'r pig ac yn cyddwyso ar ei dalcen oer, dyma fi'n dweud fel hyn wrtho fo:

'Mae hi ots ofnadwy gynnoch chi, dydi, am y gweithdy.'

Rhoddodd lwyaid o siwgr yn ei gwpan, mymryn o laeth, a thollti'r te wedyn, a throi a throi a throi efo'r llwy nes i finnau flino disgwyl am ateb a throi eto at y tân.

'Ydi,' meddai ymhen hir a hwyr. Mi drois innau'n ôl. Roedd Beci wrthi'n gosod y gorchudd gwlân yn ôl ar y tebot i gadw'r te yn gynnes, a'i law yn crynu. 'Mae angen gwneud rhywbeth am y taclau drwg 'na, y farwnes a'i phartner. Ti'n siŵr na chymri di ddim te?'

'Mi gymra i, wedi'r cwbl.'

Daliais fy nghwpan wag i Beci, a dyma'r ddau ohonom yn chwerthin. Dwn i ddim pam. Rhyddhad, o bosib, ein bod ni'n dal eisiau yfed te a hynny efo'n gilydd.

Dyna lle buom ni wedyn yn sgwrsio a phendwmpian bob yn ail, a Beci wedi estyn ei weu. Mae 'na fwy o ddynion yn gweu na fasech chi'n ddisgwyl, ond mae mwy o genod yn dreifio tacsis hefyd!

Gweu sgwariau oedd o ar gyfer cwiltiau i'w hanfon i blant yn y Trydydd Byd. Trafod hynny wedyn am bum munud, ddeg. Chwarae teg i Beci, ofynnodd o ddim un waith am hanes Gruff, fy ngŵr gynt. Un da oedd o am beidio â busnesa.

Tua un o'r gloch oedd hi pan ofynnodd Beci imi a gâi weld fy meic newydd. Allan â ni, felly.

'Golwg dda arno fo, del!'

'Mi fydda i yn ei llnau o bob dydd Sul.'

Chwarddodd Beci, yn fy ngweld i mor falch.

'Ddylech chi gael un eich hun, Beci. I'ch cadw chi'n ffit.'

'Sawl gêr ddeudaist ti oedd arno fo?'

'Ugain.'

'Gymaint â hynny? Ac mi fyddi di'n mynd am reids helaeth?'

'Dydd Sadwrn, fel arfer. Mae 'na dracs ardderchog hyd cyrion y ddinas.'

'Ar ben dy hun ti'n mynd?'

'Ia.'

Gwrido fymryn wnaeth Beci wedyn, gan feddwl ei fod o wedi twtsiad cig noeth.

'Pam nad ei di at lan-y-môr am dro, 'mechan i? Mae'r lôn drwy'r goedwig mor braf i feics.'

'Fasa hynny'n iawn efo chi?'

'Dos di. Dipyn o awyr iach yn d'ysgyfaint. Potel ddŵr ydi hon gen ti?'

'A' i i'w llenwi hi rŵan.'

'A bag cyfleus fel hyn yn y cefn.'

Wrth gwrs, erbyn imi ddod yn ôl o'r gegin efo'r botel yn llawn dŵr, roedd Beci wedi ffeindio'r amlen lwyd yn y bag beic ac wedi bod yn sbio ar y ffotograff o'r farwnes yn gwisgo bicini. Toeddwn i wedi anghofio dros dro ei fod o yno? Daliodd Beci y llun yn uchel yn yr awyr a gofyn:

'Be ti'n da efo llun barwnes Plwy Pedran yn dy fag beic?'

'Be?'

'Barwnes Plwy Pedran.'

'Dim fi biau'r llun 'na.'

'Yn dy fag beic di oedd o.'

'Ffeindio'r llun ar lawr wnes i. Mi ddois i â fo efo fi heddiw i sbio arno fo.'

'Ar lawr?'

Edrychodd Beci yn gam braidd. Finnau'n goch at fy nghlustiau yn sbio ar y gwyneb yn y llun yn lle sbio ar ei wyneb o.

Heb os, dynes smart oedd barwnes Plwy Pedran: gwyneb hir gwelw a thrwyn bachog, trwch o wallt llwyd a chinc ynddo, llygaid tywyll ac aeliau bwaog trwchus yn gwneud iddi edrych fatha tasa hi'n cuchio er ei bod hi'n gwenu.

Drwy gil fy llygaid y gwelais i Beci yn anadlu'n ddwfn. Gawn i ffrae ganddo fo?

Y cwbl ddeudodd o, yn y man, oedd hyn:

'Chdi ŵyr dy bethau. Dos di rŵan, i gael dipyn o awyr iach. Mi fydda i wedi paratoi swper erbyn y doi di'n ôl.'

Trawodd y ffotograff yn swp yn fy llaw. Cychwynnais innau ar fy nhaith gan wybod yn iawn bod llygaid Beci'n dal i syllu wrth imi rowndio'r tro tua'r goedwig. Biti na chafodd y ffotograff fynd i'r tân neithiwr efo'r gôt a'r gerdd a'r baw ci.

Yn rhyfedd iawn, wrth fynd i mewn i'r goedwig, mi ddaeth 'na awch ofnadwy drosta i unwaith eto am ddychwelyd i'r ddinas a rhoi trefn ar y pethau hynny oedd yn flêr yn fy meddwl. Roeddwn i'n methu gwybod be i'w wneud efo nhw: y dyn barfog a'r dyn mwstás, y ffotograff o'r farwnes mewn bicini, a stori Beci am gau'r ffatri goed a'r chwarel. Rhywsut, ro'n i'n dechrau dŵad i amau bod a wnelo'r holl bethau yma â'i gilydd.

Mêts da oedd Yncl Beci a fi yn y bôn. Digon hawdd fasa i neb feddwl mai fo oedd fy mam a'm tad i, er nad oeddan ni'n perthyn 'run defnyn o waed. Dyn llawn swyn oedd o yn ei ffordd ei hun; yn saer cychod ac yn un da am adrodd stori. Fyddai hi ddim yn ormodiaith deud mai cychod – a finnau – oedd ei fyd o. A dyna ni rŵan bron wedi ffraeo. Peth felly ydi teulu. Ond fi oedd ar fai.

Sŵn gwylanod ddaeth wedyn i darfu ar y tawelwch, wrth iddyn nhw fflio o'r môr at y mynydd. Y fath ollyngdod oedd cael mynd fel y gwynt ac oglau pridd a dail yn fy ffroen, ac oglau heli'r môr yn atynnu fel y gwnâi o bob tro. Haenau o las a melyn lenwai'r amgylchfyd wrth ddod allan o'r goedwig ddu. Roedd y goleuni'n ddigon i daro neb yn syfrdan: y môr yn las fel yr awyr, a'r llanw'n treio. Roedd yr haul yn tywynnu'n llachar ac yn peri i'r môr ymddangos fel stribedi arian yn y pellter; streips o dywod gwlyb yn dod i'r golwg drwy'r dŵr, a gwellt lan-môr yn wyn bron yn yr haul hyd ymyl y lôn.

Ar yr ochr arall i'r ffordd roedd cae ŷd yn felyn, felyn a'r miloedd pennau ŷd yn symud efo'i gilydd yn y gwynt bach cynnes. Roedd clawdd llechen las yn hemio'r lôn, honno ro'n i'n beicio hyd-ddi. Ond yn hanner cylch am yr olygfa i gyd, y pethau gorau un, roedd y mynyddoedd mawr llwydlas a golwg fawreddog arnyn nhw. Mor gyfarwydd oedd y modd y pylai'r lliw glas wrth fynd yn bellach i ffwrdd oddi wrth yr arfordir!

Na, doedd gen i ddim dewis ond stopio'r beic a sefyll yn llonydd i gael fy ngwynt ataf wrth sbio'n syn o 'nghylch. Ella y down i fyw i fa'ma rywdro eto, wedi'r cyfan. Yn wir, gofyn imi fy hun oeddwn i rŵan, pam yr es i o'ma'n y lle cyntaf i fyw i'r ddinas oedd yn llawn budreddi a phobl afradlon.

Fan'cw, yn gwlychu'u traed yn y dŵr, mi welwn ddau grëyr glas yn edrych fel dau broffwyd llwyd; criw o biod môr yn stwyrian o gwmpas eu traed nhw a'u pigau coch yn taro'n od ynghanol yr holl las a melyn. Gwylanod yn eu degau, rhai'n sefyll ar y dwnan, ond y gweddill yn cadw stŵr dan yr haul uwch fy mhen. Siŵr bod pysgod lond y lle hefyd, a chrancod a silidóns a phob math o greaduriaid eraill nad oedd i'w gweld. Yn sicr doedd 'na ddim pobl ar gyfyl y lle.

Ac roedd yr haul mor boeth nes meddwi rhywun.

8. Tania, Non a Terri

Lle nesa? Ymlaen. Ar ben craig roedd plasty barwnes Plwy Pedran a hwnnw â'i olwg tua'r môr un ffordd a thua'r mynydd y ffordd arall. Teulu lwcus oedd teulu Plwy Pedran. A pha ryfedd eu bod nhw'n dal yn ariangar, yn byw mewn lle mor braf? Nyth Brân oedd enw'r bobl leol ar y lle, ond Plasty Pedran oedd yr enw swyddogol.

Mi guddiais y beic mewn agen ar odre craig Nyth Brân, a rhoi dau glo arno: clymu'r ddwy olwyn fesul un i'r ffrâm. Diwedd y byd fyddai colli'r beic i leidr. Ia, brafiach fyddai'i weld yn cael ei sgubo allan i'r môr, a'i olchi ar y traeth fel pishyn o froc, nag i rywun ei ddwyn a'i hambygio.

Roedd rhywbeth yn fy nhynnu at blasty'r farwnes, rhyw chwilfrydedd. Siŵr y buasai Yncl Beci wedi fy siarsio rhag mynd ar gyfyl y lle. Hynny ynddo'i hun yn ddigon o gymhelliad i neb, dydi?

Cerdded wnes i, felly, tuag at y llwybr âi at waelod y graig ac at y plasty. Roedd yr haul i'w ddeimlo'n boeth yn fy ngwallt. Edrychais ar y ffotograff eto. Oedd ganddi ddim cywilydd, y farwnes, dynes yn ei hoed a'i hamser felly, yn pôsio yn y fath fodd? Dynes gyfoethog hefyd. Tybed a oedd pres yn chwarae rôl yn hyn i gyd? Doedd ryfedd i Yncl Beci gymryd ato wrth feddwl 'mod i'n gysylltiedig efo'r farwnes. Mi wnes i gywilyddio yn y diwedd er nad oedd neb yn sbio, a stwffio'r llun yn frysiog yn ôl i boced pen-ôl fy jeans. Y peth calla fasa bod wedi troi'n ôl am adra. Ond am ryw reswm – galwch fi'n styfnig – para i gerdded wnes i, tuag at y graig a phlasty Nyth Brân, cartref barwnes Plwy Pedran.

Mi gymrais hoe arall ymhen canllath, i gael fy ngwynt ataf ac i edmygu'r olygfa dros y môr ac i sbio ar y cychod yn mynd allan o'r bae. Prin i'w gweld roedd Iwerddon yn y pellter. Fan hyn, roedd godre ein mynyddoedd ni wedi'u trochi'n y môr. Dacw'r goedwig yn lled-dywyll yr ochr arall. Y tu hwnt i'r goedwig roedd ein pentre ni lle roedd Yncl Beci wrthi'r funud yma'n llyncu te ac yn poeni amdanaf. A thu hwnt i'n pentre ni, o'r golwg o fan hyn, roedd yr hen atomfa oedd wrthi'n cael ei throi'n stiwdio ffilm.

Distaw oedd hi, yn annaturiol felly rywsut. Roedd pobman fel y bedd. Siŵr iawn, roedd dwndwr y tonnau'n rheolaidd bob dwy, dair eiliad i'w glywed yn y pellter, ond roedd hynny'n digwydd beth bynnag. A deud y gwir, wrth wrando ar y tonnau felly y dechreuais synfyfyrio ar yr holl bethau od oedd wedi digwydd imi ers bore ddoe. Mi fyddai raid rhoi trefn arnyn nhw cyn bo hir, neu mi fyddwn wedi drysu'n lân.

Be oedd y pethau od hyd yn hyn? Yn y drefn yma y digwyddodd pethau: y dyn barfog â'i fryd ar fynd at y chwarel; côt y dyn barfog a'r symbol ar ei chefn mewn baw ci; y dyn mwstás yn ei gôt law oedd eisiau cylchu'r ddinas wrth chwarae efo'i hun yng nghefn y tacsi; llais y Sais anadnabyddus ar y peiriant ateb ffôn; y ffotograff od o'r farwnes; cau'r chwarel a'r gweithdy coed; y tawelwch mawr oedd o gylch Nyth Brân heddiw. Cyfres o ddigwyddiadau hap? Doeddwn i ddim mor siŵr. Onid oedd 'na ddirgelwch amlwg yma? A finnau fatha taswn i'n synhwyro mai fi, Tania'r Tacsi, oedd wedi'i dewis i'w ddatrys.

Hisht! Dyna sŵn traed yn dŵad dros y cerrig ar y traeth odanaf. Taflu fy hun ar y gwair ac edrych dros ymyl craig. Ugain troedfedd islaw roedd dyn a dynes yn gafael yn nwylo'i gilydd, yn trafod yn frwd. Dim byd od yn hynny? Gwitsiwch nes clywch chi pwy oedden nhw: ia, barwnes Plwy Pedran a'r dyn barfog! Law yn llaw yn mynd am dro hyd draeth Pedran. Cyd-ddigwyddiad mawr? Neu ffawd. Roedd un peth yn glir: rŵan 'mod i'n gweld y ddau efo'i gilydd, rŵan bod ffotograff o'r naill oedd eiddo'r llall yn fy meddiant i, rŵan 'mod i'n gwybod mai'r ddau bartner busnes yma oedd yn mynd i gau'r gweithdy coed a'r chwarel a hynny'n mynd i effeithio ar Beci, fy yncl i, doedd dim amheuaeth gen i bod fy rôl i yn y stori 'ma yn un ganolog. Fi oedd echel olwyn ffawd y pethau hyn. Wedi 'ngwysio, oeddwn, ond peidiwch â gofyn gan bwy, at y dyn barfog a'r farwnes er mwyn newid y stori roedden nhw, yr *entrepreneurs* diegwyddor, ar fin ei sgwennu am ddiwydiannau ffordd hyn.

Ro'n i'n awchu am wybod mwy. Plygais ymlaen i glustfeinio, ond heb roi fy hun mewn lle peryg. Gan eu bod nhw'n cerdded yn sionc, a chan fod sŵn y tonnau'n tarfu braidd ar y tawelwch, dim ond ambell bwt o'u sgwrs oedd i'w glywed. Llais y dyn barfog yn dweud, 'dyna ydi diwydiant y dyfodol'. Y farwnes yn amneidio'n daer, ac yn ymateb: 'Realiti bron-â-bod'. Y ddau'n camu ymlaen, a'r dyn barfog yn dweud, 'cyfrinachol', a'r farwnes yn dweud, 'dim smic', a'r ddau'n chwerthin. Y farwnes yn halio'r dyn barfog tuag ati ac yn sibrwd yn ei glust. Y ddau yn chwerthin eto. Y dyn barfog yn gafael yng ngwasg y farwnes; ffrog smotiog goch a du, ysgafn oedd ganddi amdani, yn gwneud iddi edrych fel iâr-fach-yr-haf, ac yntau mewn crys-T lliw piso dryw a throwsus cwta tebyg, a'i goesau fel coesau iâr dano. Drwy ddeunydd ffrog y farwnes mi welwn ei dillad isaf. Neu efallai ei bicini, allwn i ddim bod yn siŵr. Eu lleisiau'n anhyglyw bellach, dyna nhw wedi mynd o'r golwg.

A 'nghalon yn dychlamu, a chwys yn hel, mi sgrialais i lawr ymyl y graig a chamu'n chwim dros y cerrig ac ar eu hôl. Yn atsain yn fy mhen roedd geiriau Beci: 'Angen gwneud rhywbeth am y taclau drwg 'na'. A waeth imi gyfaddef ddim: ro'n i'n gynddeiriog; bustl casineb at y ddau yn berwi tu mewn imi, ac yn bygwth berwi drosodd. Cofio'r ffordd ddaru'r dyn barfog fy nhrin i yn y tacsi fore ddoe, yn rhegi, yn smocio yn y tacsi. Y ffordd y mynnai o alw'r chwarel yn 'ddiwydiant', yn lle bod yn glir efo'i gyfarwyddiadau. Powldra a natur anghynnes y boi yn gyffredinol: y trwyn gwaed; yr hances yn hongian; y baw ci ar ei gôt. Ychafi! A'r hulpan farwnes 'na a'i phlotio dieflig. Rhywbeth atgas am honno hefyd.

Ond gan bwyll: ara-deg mae dal ieir. Ac ia, mynd yn rhy wyllt wnes i, mae'n rhaid, achos y peth nesa ddigwyddodd oedd imi droi 'nhroed, llithro, a tharo 'mhen ar y cerrig gwynion gwastad. Gorwedd yn fanno wedyn yn teimlo'r haul yn boeth ar fy mhen, a chwys neu waed yn treiglo uwchben fy nghlust ac yn mynd i mewn iddi'n boeth. Syched mawr yn dŵad o rywle.

Ond doedd dim munud i'w wastraffu. Codi wedyn, a'r gwaed yn pwnio yn y pen, a phatsys duon yn mynd a dŵad o flaen fy llygaid. A dim ond llwyddo i weld, wrth imi fustachu i rowndio'r clogwyn, ben-ôl fflat y dyn barfog yn diflannu i mewn i hollt yn y clogwyn pellaf. Dyna fi wedi'u dal nhw!

Tamp ac oer oedd yr ogof, a hynny'n braf ar ôl tanbeidrwydd yr haul. Doedd hi ddim yn wag chwaith, nac yn rhy dywyll. Cyn imi gynefino, dim ond amlinell y dyn barfog a'r farwnes a welwn yn cusanu'i gilydd yn wyllt. Hi oedd y wylltaf: a'i grys-T yntau eisoes wedi'i rwygo oddi amdano, dyna lle roedd hi'n trio agor ei falog o, pan ddywedodd y dyn barfog yn lled-awdurdodol:

'Busnes gynta, Non, cofiwch. Wedyn pleser.'

Ymgiliodd y farwnes, neu 'Non', yn siomedig.

'Dach chi'n iawn, Terri, fel arfer. Fasech chi'n licio imi wasgu'r botwm rŵan?'

Amneidio wnaeth y dyn barfog, neu 'Terri', yn wrid i gyd; gwisgo'i grys-T dros ei gorff, ac yntau'n groen gwydd drosto, a'i dethau'n dynn, achos yr oerfel. Rhwbiodd ei ddwylo: ai mewn cynnwrf neu er mwyn cnesu, wyddwn i ddim.

Ar yr ochr dde roedd swits a hwnnw a wasgwyd gan y farwnes. Agorodd drws ym mur yr ogof, a daeth rhes o gyfrifiaduron i'r golwg a goleuadau'n fflachio ar sawl sgrin, a sŵn y cyfrifiaduron yn cynnau fel sŵn gwylanod trydan. O'r to daeth sŵn murmur mecanyddol, a chyn pen dim daeth sgrin fawr tua phum troedfedd sgwâr i lawr o'r nefoedd. Be goblyn oedd yn digwydd? Doedd neb yn mynd i goelio hyn! Ffau dechnoleg mewn ogof dan Blasty Pedran, a'r farwnes yn caru-ar-y-slei efo dyn hanner ei maint a hanner ei hoed. A'r ddau'n llawiau yn trio tanseilio'n cymdeithas ni.

Cerddodd y farwnes at gwpwrdd ar y chwith i'r cyfrifiadur olaf, a datgelu potel a dau wydr.

'Brandi?' gofynnodd i'r dyn barfog ar ôl tollti un iddi'i hun.

'Isio fy meddwi fi dach chi, Non, y rôg ichi?'

Ond doedd y farwnes ddim yn gwenu ers i'r barfog sbwylio'i phleser.

'Gymrwch chi frandi, 'ta be, Terri?'

'Dim diolch.'

'Eisteddwch i lawr 'ta, a sbïwch ar hyn.'

Cododd un llaw yn uchel a phwyntio'i mynegfys hir at ddwy gadair oedd wrthi'n codi o'r llawr gerbron y sgrin: arwydd ar i'r dyn barfog eistedd.

'Rŵan,' meddai'r farwnes a dod â'i hwyneb yn agos fatha tasa hi'n mynd i'w gusanu fo eto. Terri'n gwingo. Tynnu'n ôl wedyn, a swilio'r ddiod yn y gwydr conigol cyn drachtio'n ddwfn a chlecian ei thafod ar ôl llyncu.

'Asu, brandi da,' meddai, a thorri gwynt wedyn.

Siaradodd hi ddim am sbelan, dim ond cerdded at un cyfrifiadur dan ffidlan efo'i gwallt. Edrychai Terri druan fel petai'n lled-ddisgwyl newyddion drwg dros y ffôn a hwnnw'n 'cau canu. Hi, barwnes Plwy Pedran, oedd yr un hunanfeddiannol bellach. Toedd hi ar ei thir ei hun?

'Dwi isio dangos rhywbeth sbesial i chi, Terri. Gymrwch chi sigarét?'

'Diolch.' Roedd y dyn barfog yn sbio arni'n siglo'i thin o'i flaen a hithau'n cerdded eto at y cyfrifiadur.

'Y cynlluniau hyd yn hyn,' meddai Non, gwasgu botwm ar y cyfrifiadur a dychwelyd i eistedd wrth ymyl Terri. 'Ar gyfer y ffatri goed. Gwybodaeth gyfrinachol!'

Daeth llun drws y ffatri goed ar y sgrin, hawdd iawn ei nabod. Yr union le y gweithiai Beci ynddo, roedd y drws yn fwy na chyfarwydd imi. Pwniodd Non fraich Terri a gwneud arwydd arno i dalu sylw. Ar ôl tair cnoc agorodd y drws ar y sgrin. Ninnau – Non, Terri, a finnau dan gêl – wedyn fatha tasen ni'n cerdded i mewn i'r gweithdy ac oglau llwch lli, yn sydyn, yn llenwi'r lle. Oedd, roedd ei flas bron i'w glywed yng nghil fy ngheg wrth i'r oglau dreiddio at gefn yr ogof. Daeth sŵn lli fecanyddol yn sgrialu drwy goedyn. Be oedd hyn? Y synhwyrau'n dweud wrth y rheswm be oedd be?

Dyna pryd daith y llais. Llais dynes yn croesawu pawb i'r ffatri goed; acen y wlad ond efo llediaith y ddinas: *Yma, yn ffatri goed Plwy Pedran cawn brofi bywyd y saer megis yn y dyddiau gynt. Dyma wahoddiad i droedio'r hen weithdy.* Roedd y llais a mosiwn y sgrin fel tasen nhw'n ein tywys tua'r dde lle'r eisteddai gŵr ifanc mewn dillad gwlân henffasiwn a het am ei ben yn naddu talp o bren. Gwenodd yn llywaeth a dal i naddu. Oglau farnais wedyn yn llenwi'r ffroen, lle roedd saer arall yn peintio cerflun pren siapus. Yr un wisg oedd am hwn: trowsus melfaréd, sgidiau hoelion mawr, crys o frethyn tew a siercyn wlân: dillad o'r ocs a fu. Dim byd tebyg i'r ofarôls a wisgai Beci a'i gydweithwyr.

Roedd y llun ar y sgrin yn dal i symud a'r llais yn sôn am grefft gain y saer, ac ogleuon y llwch lli'n codi'n chwaon braf drwy'r ogof. Dyna weithiwr arall tebyg wrthi efo cŷn yn cerfio canhwyllbren. Un arall wedyn yn llyfnhau llwy garu ac yn ei dal yn uchel er mwyn i'r gwyliwr gael ei hedmygu. Ond tywys roedd y llais a'r llun rŵan at siop y ffatri goed lle roedd y cerfluniau a'r llwyau a'r canwyllbrennau ar werth am bris heb fod yn rhad. Safai merch mewn gwisg 'draddodiadol' tu ôl i'r cowntar. A dim ond ar ôl iddi hi ffarwelio â ni, y gynulleidfa, y diflannodd y llun, a'r sŵn, a'r oglau, a'r blas, ac y trodd y sgrin yn wyn plaen eto.

'Wel?' meddai Non yn ddisgwylgar. 'Dyna chi'r profiad yn llawn, profiad y ffatri goed.'

'Llongyfarchiadau, Non. Mae'n rhaglen ardderchog!' meddai Terri, ac ysgwyd ei llaw.

'Felly fydd hi yn y chwarel hefyd cyn bo hir,' meddai Non. 'Sglein ar y ddau le eto a digonedd o bres yn dod i mewn. A dwi am fasnachu'r profiad cyfrifiadur hefyd i'r rheiny sy'n methu dod yma eu hunain.'

'Mi fydd y lle'n denu miloedd yn yr haf.'

'Ac mae 'na botensial efo'r stiwdio ffilm newydd hefyd wrth gwrs. Meddyliwch am yr holl ffilms am yr hen fyd sy'n cael eu cynhyrchu y dyddiau yma.'

'Bendigedig, bendigedig,' meddai Terri.

'Brandi?' meddai Non, yn nôl un arall iddi'i hun ac yn troi i lygadu trowsus ei chariad eto.

'Pam lai? Pam lai?'

Yng nghefn yr ogof codais innau ar fy nhraed a dicter ofnadwy, a'r briw ar ochr fy mhen, yn fy ngwneud yn chwil. Mi wyddwn yn iawn 'mod i'n gwneud peth gwirion, ond allwn i ddim dal yn ôl gan gynddaredd:

'Dach chi'n bobl ofnadwy,' ac roedd fy llais yn floesg. 'Mi geith pawb wybod am hyn. Ac mi gewch chithau dalu.'

Rhythu arnaf wnaeth y farwnes a'r dyn barfog. Hi'n

troi'n goch ac yntau'n troi'n wyn. Mi fagais ddigon o blwc wedyn i ddweud hyn:

'Dwi 'di gweld pob dim, eich cynlluniau cyfrinachol chi. Dwi am adael i'r papurau newydd wybod.'

Cododd Terri o'i sedd, a chamu 'mlaen a'i ddwrn yn codi. Braich noeth y farwnes yn ei ddal yn ôl. Wn i ddim oedd o'n fy nabod i; mae'n amau gen i. Gorau oll. A be wnes innau wedyn, i roid halen yn y briw, oedd estyn am y ffotograff o boced fy nhrowsus a'i ddal yn uchel o'u blaen nhw. Yn ei gwylltineb, taflodd y farwnes y gwydr brandi at fur yr ogof, nes i hwnnw dorri'n deilchion ac i'r ddiod ddrud sbydu dros y cyfrifiaduron.

'Pwy ydach chi?' meddai hi'n gryg.

'Llun da ohonach chi.' Ro'n i wrth fy modd; siŵr bod y gwymp ar y traeth wedi fy mwydro fi braidd, achos fyddwn i byth wedi bod mor bowld fel arall. 'Dach chi'n gwenu fel giât.'

'Pwy ydach chi, hogan?'

'Corff da gynnoch chi hefyd, am eich oed. Dwi 'di gweld pob dim rŵan.'

Am eiliad neu ddwy ddaeth 'na ddim smic o du'r farwnes. Dim ond bod ei gwyneb hi'n troi'n binc yn ara-deg, a'i thrwyn fatha tasa fo'n mynd yn fwy a mwy bachog wrth i'w llygaid chwyddo'n fawr. Roedd y dyn barfog fel y galchen, yn crynu, ac yn llyncu'i boer yn ddi-baid. Penderfynais ei bod yn bryd imi fynd. A dyna pryd y daeth sgrech y farwnes:

'Ar ei hôl hi, Terri! Daliwch y blydi bitsh bach!'

Wrth redeg yn wyllt drwy'r hafn yn y graig ac allan i'r haul eto a thua'r môr, a'r gwylanod yn gynnwrf i gyd, a barwnes Plwy Pedran a'i phartner busnes barfog ar fy ngwarthaf a nhwthau'n cyfarth ac yn glafoerian, mi deimlais yn sydyn garreg yn dŵad o'r tu ôl ac yn fy mwrw'n galed ar ochr fy mhen. Mi allwn daeru imi glywed ei llais yn gweiddi 'go dda' wrth imi syrthio tua'r llawr. Llais wedyn yn y pellter yn dweud:

'Mae hi wedi gweld popeth, Non.'

'Choelith neb mohoni. Ffeindith hi byth mo'r ogof eto.'

Cysgod dros yr haul am ysbaid, ac wedyn yr haul yn llethol eto:

'Fydd hi'n iawn yn y gwres?'

'Peidiwch â phoeni, Terri. Mi ddaw'r hen het fach at ei choed yn y diwedd. Dach chi'n ei chael hi? Jôc!'

9. Tania

Yn y gwely, a llaeth poeth Yncl Beci'n llenwi fy mol,
ro'n i'n trio dod i ddallt be oedd be. Chwerthin llond ei
fol wnaeth o pan ddeudais i'r stori am y cyfrifiadur a'r
cynlluniau am y ffatri goed, a deud bod gen i
ddychymyg byw ac y dylwn i sgwennu llyfrau plant. Ac
a finnau'n mynnu wedyn bod y cyfan yn wir, yn mynnu
ei fod yn dŵad i weld yr ogof, ysgwyd ei ben wnaeth o
dan wenu a deud y byddai popeth yn iawn yn y diwedd.
Bron iawn na wnaeth o imi ddechrau amau fy hun:
'mod i wedi breuddwydio'r olygfa yn yr ogof. Achos y
cyfan dwi'n gofio wedyn ydi deffro a finnau'n dal ar fy
hyd ar y cerrig, a gwaed yn llifo i mewn i'm clust, a'r
môr yn dŵad yn nes a'r gwylanod yn sgrechian
chwerthin ar fy mhen, a neb arall i'w weld yn unman.
   Ond na: allwn i ddim fod wedi breuddwydio golygfa
mor ryfeddol â'r un o'r ddau gariad dieflig yn yr ogof.
Dim ots nad oedd Beci'n coelio ar hyn o bryd. Mi gâi
pawb weld yn y diwedd, fel y cewch chithau, mai fi
oedd yn iawn.
   Wrth gwrs, erbyn hyn ro'n i'n lluddedig yn y gwely.
Plastar dros y briw cas oedd ar ochr fy mhen, cur pen
dychrynllyd, ac wedi ymlâdd, yn chwysu ac yn crynu
'run pryd. To'n i wedi codi ben bore? A gwynt y môr a
gwynt y mynydd, a'r daith feic at lan-y-môr, a'r
dychwelyd adra'n araf, araf ar ôl dadebru o'r llewyg: y
cyfan wedi fy llorio fi. Ond er gwaetha'r blinder roedd

yr adar yn stwyrian a dechrau trydar erbyn imi fynd i gysgu o'r diwedd. Hyn oedd yn f'aflonyddu: trio gweld patrwm yn y digwyddiadau od ers bore dydd Gwener; trio gweld synnwyr yn y cyfan. Dwi 'di deud eisoes, y pethau yma oedd yn f'anniddigo: dyn barfog yn dod i mewn i'r tacsi bore ddoe a golwg un yn cael ei erlid arno; ei gôt yn dal ar lawr oriau'n ddiweddarach a phatrwm od ar y cefn; y dyn arall – hwnnw efo mwstás – yn mynnu mynd rownd y ddinas mewn cylchoedd ac yn ymddwyn yn anweddus; y ffotograff yn yr amlen; cynllwyn Terri a Non a'u ffatri freuddwydion nhw mewn ogof ar draeth Pedran. Onid oedd hyn i gyd yn ddigon i ffwndro neb?

Yn waeth byth, fel bydd rhywun, mi ddechreuais hel meddyliau wedyn am bethau eraill. Meddwl tybed be oedd rhan pawb arall yn y patrwm: pobl fel Osian, a Sian, a Beci, a fi fy hun hefyd. Be wnaeth i fi weld bore ddoe, pan ddaeth y dyn barfog i mewn, yn ddechrau ar y cyfan? Ia, pan holais i hynny y dechreuodd fy mhen droi go iawn. A pheth gwirion a dianghenraid oedd imi ddechrau pendroni wedyn, jyst cyn mynd i gysgu, a gofyn imi fy hun a oedd perthynas rhwng yr holl bethau o gwbl?

Fory, sef dydd Sul, mi fyddai raid imi ddychwelyd i'r ddinas, a ffarwelio efo Yncl Beci eto am sbel. Diolch byth am sŵn y defaid yn y cae tu allan, oedd byth bron yn brefu; bwrlwm yr afon yn y ceunant; stwyrian yr adar bach; ac oglau heli ar fy mysedd wrth i fi swatio o gylch fy nau ddwrn fy hun i gadw'n gynnes.

Un peth arall ddigwyddodd wedyn sy'n werth ei nodi: Yncl Beci a fi, ar ôl brecwast ddydd Sul, yn meddwl mynd am dro ar gefn beic: fo ar f'un i a finnau ar ei un o, at lan-y-môr ac yn ôl erbyn dau. Ond prin ein bod wedi mynd dau ganllath pan ddaeth gwaedd gan Beci o'r tu cefn. Ac yntau'n mynd ar wib hyd y lôn drwy'r coed mi ddaeth yr olwyn flaen i ffwrdd oddi ar yr afl. Plannodd yr afl ei hun yn y pridd. Stopiodd y beic yn stond. Taflwyd Beci dros y beic a thrwy'r awyr a glaniodd a'i ben ar lawr.

Roedd gwaed a baw ar ei dalcen a golwg ffwndrus yn ei lygaid. Pan ddaeth ato'i hun, a'r lliw wedi mynd o'i wyneb, a ninnau wedi troi am adra, yr unig beth ddeudodd o oedd hyn:

'Rhywun wedi llacio'r sgriws, mae'n rhaid.'

A bron nad oedd golwg gyhuddgar arno.

Mi gawson damaid o ginio, ac roedd o'n dallt yn iawn bod yn rhaid i fi fynd am bedwar o'r gloch i ddal y trên yn ôl i'r ddinas, er bod ei ben yn dal i waedu ac yntau'n crio fel babi ac yn deud nad oedd ots gen i am neb na dim ond fi fy hun.

Dychmygwch y rhyddhad oedd hi pan ddeffrais, a sylweddoli nad oedd y peth wedi digwydd. Ia, ffasiwn ryddhad o wybod bod y nos, o leiaf, yn un amser pan na allai gormod o bethau ddigwydd oedd tu hwnt i ddirnad rhywun.

10. Tania, Sian ac Osian

Peth cynta ar ôl cyrraedd adra, llais Osian ar y peiriant ateb ffôn. Toedd ei lais o ymhobman weithiau? Yr hyn oedd ganddo fo oedd cerdd o'r un llinach â'r lleill, ond bod hon yn salach byth. I be oedd o'n fy nhormentio fi efo'i greadigaethau?

> Drannoeth wedi'r drin troediais
> Yr hen hen lwybrau droediaist ti a fi
> Ar lonydd yr hen ddinas annwyl hon.
> A sŵn ein geiriau yn un gri
> Ddolefus yn fy mhen a'm cof.
> Mae hiraeth arnaf, Tania. Tyrd yn ôl.
> Ac os na fydd ein c'lonnau'n curo'n un
> Fel gynt; maddeuaf iti er eu gwaethaf, o fy mun.
> Fy mun, fy mun, dwyf innau hebot ddim
> Ond gwacbeth ar ddisberod. O, rho'th galon im.
> Calon, calon Cymru sydd yn curo ynot.
> Y galon wiw. Ni allaf ddianc rhagot,
> Hyn ni fynnaf chwaith.
> Tania, ti yw'r cychwyn; ti yw pen y daith.

Isio trio cymodi roedd Osian, os dalltais i neges y gerdd. Roedd o'n mynd ati'r ffordd chwith. Mi awn i'w weld o fory yn Caffi Stesion: mynd â fo allan am ddiod; cynnig rhoi pàs adra iddo fo.

Ar ôl gwrando ar y newyddion ar y radio, gwrando ar ychydig o fiwsig, i'r gwely yr es i. Roedd fory heb ei dwtsiad.

Pan ddeffrais i bore wedyn ar ôl cysgu'n sownd am unwaith, mi benderfynais stopio'r holl boeni 'ma. Dechrau byw 'mywyd yn fwy di-hid. Ia, hyn wnes i ddydd Llun: smalio bod dim byd yn bod.

Tamaid o dôst efo'r coffi ben bore. A mor ddel oedd y tacsi bach gwyn yn y garej y bore hwnnw. Mor ffyddlon oedd y fo a'r beic, pâr mor annwyl. Finnau'n hapus wedyn wrth sbydu lawr lôn Aberdeen i ganol dre; ro'n i'n siaradus efo lot fawr o'r cwsmeriaid yn ystod y dydd. Fedra i brofi hynny hefyd: mi ges dwn i'm faint o bres poced. Sylwodd sawl un o'r dreifars eraill hefyd, a Joseff yn gofyn – o ran hwyl – o'n i wedi sgorio nos Sadwrn. Dau fys gafodd o am hynna, a ninnau'n chwerthin wedyn. Hwyl garw i'w gael efo'r cydweithwyr, oes tad. Ella na fasech chi ddim yn meddwl hynny wrth weld tacsis yn un rhes yn rhywle ond 'dan ni ddreifars yn gymuned glòs ac yn licio cymdeithasu. Dach chi ddim wedi'n clywed ni'n paldaruo ar y radio yn ein hiaith ddirgel ein hunain?

Hen le iawn oedd y ddinas hefyd yn y bôn. Sylwais i ddim o'r blaen – o leia, roedd 'na sbel hir wedi pasio – mor ddel oedd yr adeiladau yn y doc: yn enwedig y rhai oedd heb eu hadnewyddu eto. Prin 'mod i'n cofio gweld y fath wynebau diddorol yn hel o gwmpas y brifysgol hefyd. A, duw, do, mi agorais y ffenest pan stopiwyd y tacsi gan griw o fyfyrwyr ganol bore a nhwthau'n gofyn imi lofnodi deiseb. Byth a hefyd yn hel ynglŷn â busnes pobl dramor. Rêl stiwdants. Ond heddiw mi lofnodais innau'r ddeiseb dros hawl ffoadur o wlad bell i ddŵad yma. Teimlo bod gen i ddigon o beth ffeind y tu mewn i rannu efo pobl o bob gwlad.

''Run fath ydan ni i gyd, uffar,' ddeudais i wrth yr

hogan ac mi wenodd honno a chytuno; a dyma fi'n stopio dal dig yn erbyn myfyrwyr ers i un chwydu yn fy nhacsi i ryw noson.

Meddwl wnes i wedyn – wrth aros am gwsmer tu allan i siop *Kwik Save* – tybed na fasa rhywun yn medru trefnu deiseb yn erbyn barwnes Plwy Pedran? Hynny ydi, jyst deudwch bod honno a'i phartner yn dal ati efo'r cynlluniau i droi'r gweithdy coed a'r chwarel yn llefydd i dwristiaid. Trio dwyn perswâd felly ar bobl y senedd i nadu'r peth rhag digwydd. Dwn i'm faint o goel sydd ar addewidion y seneddwyr, chwaith. Synnwn i ddim nad ydi'r farwnes ei hun yn fêts efo nhw. Tydi hi â'i bys ymhob brwas, chwedl Beci?

Ond ddaru ystyriaethau fel hyn hyd yn oed ddim tarfu ar fy hwyliau da i. Gwenu'n braf ac yn disgwyl pethau da, felly ro'n i: ia, bron nad o'n i'n disgwyl i'r dyn fu'n siopa yn *Kwik Save* roid hanner ei siocled i fi, a finnau wedi bod mor amyneddgar. Ffasiwn brysurdeb oedd ar lôn Ann Parri wedyn, honno sy'n mynd rhwng y senedd a'r amgueddfa. Pobl o bob math yn fanno ac yn edrych yn fwy brith nag arfer. Toedd 'na gymaint i'w weld a'i glywed a'i dwtsiad?

Mi biciais i weld Sian ar y stondin sosej. Tua un ar ddeg oedd hynny. Y gwallt coch wedi'i godi'n doc uchel ar ei phen, wedi'i dynnu'n ôl oddi wrth ei gwyneb; trwch o liw glas ar gloriau'i llygaid; pinc ar ei cheg; roedd hi'n hogan dlws. 'Tlws' roedd rhai o'i chwsmeriaid yn ei galw. Miwisg *blues* galarnadus yn llenwi'r stondin; Sian yn cyd-ganu bob hyn a hyn wrth ffeilio'i gwinedd. Rhes o sosejes o'i blaen yn crasu'n araf. Potel blastig o sôs-coch ar y naill law; potel blastig o sôs-brown ar y llaw arall; potel blastig o fwstard yn y canol. Tua cant o roliau bara gwyn mewn bag plastig clir tu ôl iddi. Ac oglau nionod sychion yn berwi yn llenwi'r lle, ac yn cymysgu â phersawr Sian.

Roedd hwyliau da arni fel arfer. Pan welodd fi'n agosáu, cododd a throi at ddrych tu cefn iddi a rhoid haen ffres o finlliw pinc ar ei gwefusau. Gwasgodd ei gwefusau at ei gilydd a gwneud ceg sws arni hi ei hun, cyn troi'n ôl eto. Finnau'n teimlo rhyw afiaith mawr yn codi tu mewn wrth ei gweld hi:

'Iawn?' Dyma ein cyfarchiad ni.

'Iawn,' meddai Sian. 'Ti 'di codi'r ochr iawn i'r gwely am unwaith.'

'Felly mae pawb yn deud.'

'Be sy? Dyn newydd?'

Sibrwd hyn yn chwareus wnaeth Sian, a phlygu ymlaen fel tasa hi am glywed y stori'n well.

'Paid â mwydro.'

'Ti'n licio'r lliw pinc 'ma?' ymsythodd Sian eto. 'Clasio efo'r gwallt coch, dydi?' Ond heb aros am ateb, dyma hi'n plygu ymlaen eto a murmur: 'Wel, pwy ydi'r dyn 'ma sydd wedi rhoid gwên ar dy wyneb di o'r diwedd?'

'Neb! Beth bynnag, ddois i ddim yma i sôn am bethau felly. Isio gofyn fasat ti'n licio dod allan efo Osian a fi heno?'

Ymgiliodd Sian eto, gafael yn ei gefail fetel a rhoi tro i'r sosejes fesul un er mwyn crasu'r ochrau pinc.

'Osian? Duw iawn, ddo i. Lle 'dan ni'n mynd?'

'Y bar newydd 'na ochr gefn Capel Mawr.'

'Iawn. Watsia dy hun, mae gen i gwsmer yn dŵad.'

'Blydi cwsmeriaid. Byth yn cael amser i siarad yn iawn efo chdi.'

'Wela i di heno!' Daliodd Sian un o'r sosejes yn yr awyr efo'i gefail a'i hysgwyd o flaen y dyn. ''Run peth ag arfer, Mr Jenkins?'

Roedd y dyn wrth ei fodd.

'Y cwbl lot, Tlws bach. Dach chi'n fy nabod i erbyn hyn.'

Rhyfedd o beth oedd perthynas Sian â'i chwsmeriaid. Ei dull hi o'u cadw efo hi oedd eu trin fel baw a'u boddhau 'run pryd.

Stop nesa cyn amser cinio oedd stryd Patagonia lle ces barcio'r tacsi am ugain munud. Chwant prynu dillad newydd oedd arnaf i. Ia, hynny o bob peth! A finnau heb wneud peth felly ers oes pys, ers i Gruff godi'i bac. Ella mai wedi aeddfedu o'n i ac wedi colli diddordeb mewn ffasiwn. Anaml yr awn i allan i nunlle dyddiau yma hefyd, a deud y gwir, heblaw i'r tŷ tafarn ar lôn Chwintan a hynny efo criw o'n i'n nabod yn reit dda: Beth, Tina, Bob, Dafydd a'r lleill. Felly doedd 'na fawr o alw am ddillad newydd. Yn enwedig a finnau'n gwisgo ofarôl yn y gwaith.

Cerdded i mewn i'r siop a chlywed oglau sent y genod oedd yn gweithio yno. Gwinedd wedi'u peintio'n goch, a'u gwallt nhw – gwallt melyn ran fwyaf – a phob blewyn yn ei le. Colur hefyd yn rhoi gwedd broffesiynol arnyn nhw. Wrth drio rhai o'r dillad amdanaf roedd yr hogan yn glên iawn, chwarae teg, ac yn brolio siâp fy nghorff. Deud oedd hi 'mod i'n denau neis, a f'asennau i'n sticio allan fel telyn drwy'r croen.

'Sut dach chi'n manijo?' meddai hithau a deud ei bod hi wedi rhoi gif-yp ers talwm ar ddeietio.

Braf oedd cerdded rownd y siop yn sbio ar hyn a'r llall a mynd â nhw i'w trio i'r stafell wisgo. Miwsig uchel drwy'r siop i gyd, a finnau'n teimlo fy hun yn troedio i gyd-fynd â'r curiad. Phrynais i ddim byd yn y diwedd ond trowsus gwyn a chrys gwyn efo coler lydan a sgarff bach main i roid am y gwddw; dillad isa gwyn, a sgidiau fatha sgidiau rhedeg; handi ar gyfer mynd i ddawnsio. Mi fyddai'r tacsi a finnau'n taro'n gilydd i'r dim rŵan, yn wyn i gyd y ddau ohonom. Heb sôn am y beic!

Ar y ffordd i Caffi Stesion i chwilio am Osian, mi ges ryw deimlad lletchwith o fod wedi boddio fy hun ormod.

Fanno'r oedd Osian â'i ben yn ei blu wrth y bar. Ei gôt yn dal amdano, ei drwyn yn rhedeg a'i ddwy law yn llonydd ar y bwrdd pren. Cododd ei ben wrth fy ngweld yn dod i mewn, cyn sbio i lawr eto. Mi gafodd sws gymodlon i'w gyfarch, ond sychu'i dalcen efo llawes ei gôt ddaru Osian a sbio'n amheus.

'Gymri di ddiod o win, Osian?'

'OK. Be sy'n bod arna chdi heddiw efo rhyw swsus mawr?'

'Diolch yn fawr iawn am y gerdd. Roedd hi'n dda.'

'Da i ddim,' dan ei wynt.

'Ti ddim chdi dy hun heddiw.'

'Tithau ddim chdi dy hun, chwaith. Ddim mor flin ag arfer.'

'Be sy matar?'

Dechreuodd Osian grio'n ddistaw i mewn i'w win. Heb fod ots am yr oglau oedd arno fo, ei ddal o fel babi yn fy mreichiau wnes i ac yntau'n crynu crio yn f'erbyn i. A'i ddagrau o'n treiglo'n gynnes tuag at fy ngarddwrn.

'Be sy matar, Osian bach? A finnau wedi dod yma i ofyn oeddach chdi isio dod allan.'

'Ddim isio.'

'I'r bar newydd 'na wrth ymyl Capel Mawr.'

'Rhy ddigalon.'

'Deud be sy.'

Dim ond ymhen rhai munudau y daeth eglurhad Osian, a hynny'n swil fel cyffesiad, wedi'i breblian i mewn i'w wydr gwin a'i lygaid yn syllu tuag at waelod hwnnw.

'Hogia eraill yn y cartra.'

'Be maen nhw'n ddeud?'

'Deud 'mod i rêl pansan. Ac y bydda i'n cael cweir iawn os na stopia i gloi drws fy llofft a gwrthod eu gadael nhw i mewn.'

Dechreuodd igian crio eto. Finnau'n rhoi mwythau i'w ben moel. Cododd ei ben o'i wydr gwin. A dyma fo'n deud fel hyn, fel tasa fo'n sôn am balas:

'Cheith y basdads ddim dod ar gyfyl fy llofft i. Fi piau hi. Fanno 'di'r unig le sy gen i. Ac mae gen i ofn mynd yn ôl yna.'

Mi dynnais i'r hen foi ataf, ac yntau fatha tasa fo'n nythu'i hun yn fy nghôl i. Methu deud dim, nac oeddwn, dim ond rhoid mwythau i'r hen ŵr a sôn am bethau ffeind.

'Ofn mynd yn ôl,' meddai Osian. 'Y diawliaid.'

Yn raddol y daeth Osian ato'i hun. Mi gafodd ddau wydraid o win arall.

'Oeddat ti'n licio'r gerdd go iawn, Tania? Deud y gwir rŵan.'

Toedd o'n hen beth balch, yn y bôn? 'Run mor falch â ni i gyd.

'A be am y llall?'

'Pa lall rŵan, Osian?'

'Honno adewais i dan weipars y tacsi ddydd Gwener.'

'Licio honno hefyd,' meddwn innau, a theimlo'n euog.

Roedd hi wedi hen basio diwedd fy amser cinio. Mi gawn ffrae go iawn gan y bòs. Ond y peth pwysicaf oedd bod Osian yn edrych yn llai prudd erbyn hyn. Yn wir, roedd o'n bygwth mynd at y piano eto.

'O Iesu,' meddai Ann. 'Dwn i'm pryd mae o waetha: pan mae o fyny fan'na ynteu lawr yn fan'cw.

'Rhai oriog ydi beirdd,' meddwn innau, ac Osian wrth ei fodd yn cael sylw: dagrau yn ei lygaid am ei fod yn hapus rŵan, medda fo.

'Paid ag yfed mwy neu fyddi di'm ffit i fod efo ni'n dwy heno.'

Siawns nad oedd y dynion eraill yn y cartref i gyd yn gnafon drwg. A phwysig oedd cofio mai un o brif ddiléits Osian, fel lot o bobol – a dwi'n cynnwys fy hun – oedd rhoid ei hun ar wahân i'r giang.

11. Tania

Fel mae pnawniau, mi aeth hwn hefyd heibio heb fawr ddim yn digwydd. Haul yn tywynnu; pawb mewn hwyl dda i feddwl mai dydd Llun oedd hi; y dreifars tacsi yn un rhes glên yn cyfathrebu efo'i gilydd; pobl yn dod allan o'r orsaf mewn dillad haf, yn dangos eu cyrff.

Yn ôl y sôn roedd brenhines Lloegr ar ei ffordd i'r ddinas rywdro fis Awst i roi'i bendith ar theatr newydd. Neb yn cael gwybod pryd, chwaith. Roedd ffotograffydd yr *Eco Fin Nos* wedi bod yn tindroi yn yr orsaf drwy'r pnawn. Hen beth digon blin oedd o hefyd.

Tua tri o'r gloch oedd hi pan ddaeth Math draw am sgwrs:

'Gen ti hanes, Tania?'

'Ffitiach i chdi ofyn i hwnna,' meddwn i a chyfeirio at y ffotograffydd. 'Sbia arno fo'n hofran hyd y lle 'ma.'

'Sut mae pethau efo chdi?'

'Dal i fynd. A chdithau?'

'Dal i hongian. Ar fy ffordd i nôl papur. Ti isio rhywbeth o siop?'

'Ddoi di â phaced o ffags i fi?'

Petrusodd Math.

'Ti 'di ailddechrau smocio?'

Amneidio wnes innau, yn cywilyddio. Math oedd wedi fy helpu i roi'r gorau i sigaréts rai misoedd yn ôl. Fo'n ysgwyd ei ben wedyn ac yn edrych yn chwithig. Saib annifyr.

'Ti'n dod â'r ffags 'na, 'ta be?' meddwn innau, er mwyn deud rhywbeth.

A mynd o'no wnaeth Math yn ddiymdroi. Unwaith y stopiodd fy nghalon innau guro mi adewais y tacsi a phicio i'r tŷ-bach yn yr orsaf. Mi adewais nodyn i Math o dan y weipar, fel y gwnaeth Osian efo'i gerdd, yn deud wrtho am roid y ffags ar ben y teiar blaen a bod arnaf i bres iddo fo.

Wyddoch chi be? Tua phump o'r gloch mi ges fynd â chanwr pop at y stiwdios teledu. Fo'r arferwn i, ynghyd â llwyth o genod ysgol eraill, ei ffansïo ers talwm. Cofio'n dda treulio fin nosau'n meddwl amdano ac yn sbio ar fideos ohono'n canu ac ar bosteri ohono'n edrych yn flêr ac yn rhydd ac yn hirwalltog. Er ei fod o wedi heneiddio, a rhychau o gwmpas ei lygaid o rŵan bob tro y gwenai, roedd o'n dal i wneud fy nhu mewn i droi. Anodd oedd peidio sbio'n y drych bob dau funud; peth peryg i ddreifar ydi cael rhywun mor ddel â fo yng nghefn eich car. Ac i goroni'r cyfan, mi alwodd o fi'n 'chdi' a phontio blynyddoedd efo'i ramadeg:

'Ynda,' medda fo tu allan i'r stiwdio a rhoi papur decpunt yn fy llaw. 'Cadw'r newid. Mi wnes i enjoio'r reid.'

Pethau fel hyn wnâi fywyd y ddinas yn fwy cyffrous na bywyd y wlad. O sbio arni'n athronyddol, roedd hi'n werth dioddef profiadau annifyr er mwyn cael mwynhau y rhai difyr. Gofyn gweld pethau'n gadarnhaol, docdd. Heddiw o bob diwrnod.

Rhaid 'mod i wedi blino erbyn tua'r chwech 'ma hefyd. Dyna pryd, dwi'n meddwl, y dechreuodd fy nychymyg chwarae mig efo mi eto. Hyn ddigwyddodd:

dreifio ro'n i o gyrion y ddinas ar ôl bod yn danfon rhywun at y pwll nofio. A finnau'n chwerthin rhyngof a fi fy hun wrth weld Sami'n dŵad allan o'r sinema ffilms budur, yn nesáu at y lôn gylch ac yn paratoi i ganu corn ar Sian wrth y stondin sosej, pwy welais i'n troi oddi ar y lôn ac i stryd gefn ond Terri, y dyn barfog. Bu ond y dim imi gael damwain. Y dyn barfog? Roedd fy nghalon i'n curo fel gordd ac mi es yn chwys drostaf.

Erbyn imi fynd heibio i'r goleuadau traffig, rownd y cylch, ac yn ôl at y troiad am stryd tywysog Cymru, a mynd i lawr y stryd honno wedyn ar ôl y cythraul, siŵr iawn nad oedd dim golwg o'r dyn barfog, na neb tebyg iddo fo chwaith. Roedd y stryd yn gwbl wag.

12. Tania, Osian a Sian

Roedd hi wedi troi saith o'r gloch pan barciais y tacsi tu allan i fflat Sian. Estyn am y bag efo'r dillad newydd gwyn o'r cefn, diffodd y golau melyn ar y to ar flaen y tacsi, a chloi pob drws. Toedd 'na gymaint o bethau i'w cofio cyn cael mwynhau?

Loetran wrth ei drws roedd Sian, yn barod ers sbel ac mewn dillad smart.

'Welais i chdi'n dŵad o bell,' meddai dan wenu. 'Nabod y tacsi.'

'Dau funud fydda i'n molchi a newid.'

'Ia, brysia. Neu mi fydd Osian ar bigau'r drain yn methu dallt lle ydan ni ac yn yfed ei hochor hi.'

Un sylw oedd gan Sian pan ddes allan o'i llofft flêr wedyn yn fy nillad gwyn newydd ac yn ymwybodol ohonof fy hun:

'Ti'n edrych yn dda, Tania.'

Finnau'n medru gweld ei bod hi'n ddistaw bach yn methu coelio 'mod i'n gwisgo pethau newydd.

Peth od oedd eistedd yng nghefn tacsi rhywun arall ar y ffordd at loches Osian yn ochr ddwyreiniol y ddinas. Roedd Sian fatha tasa hi'n nabod y dreifar yn dda, ac yn fflyrtio. Dim ond wrth sbio ar gefn pen y boi y sylwais i am y tro cynta erioed peth mor bryfoclyd oedd cefn pen dreifar.

'Hei, dacw fo Osian yn gwitsiad.'

'Efo c'nonod yn ei din.'

Dyma'r ddwy ohonom yn chwerthin wedyn, ac Osian yn bustachu i mewn i gefn y tacsi a golwg bwdlyd arno: 'Be sy mor ddoniol?'

'Ti'm yn dal mewn tymer ddrwg, Osian?' meddwn innau.

'Dach chi'n hwyr.'

Roedd trwyn y bardd talcen slip yn sgleinio â saim gwallt oedd wedi'i gribo dros ei ben.

'Taw y swnyn,' meddai Sian, a rhoi sws iddo ar ei foch.

Oedd, roedd hi'n mynd i fod yn noson dda. Osian, Tania, a Sian. Dyna ichi dri.

Roedd hi'n tynnu at amser cau a sawl peint o gwrw wedi'i yfed. Noson ardderchog, dim ond bod Sian ac Osian wedi bod yn hwrjio bwyd arnaf i:

'Disgyn lawr draeniau fyddi di,' meddai Sian, ac roedd Osian yn mwmial wrth ddeintio'i fyrgar ac yn cynnig ei jips i fi bob gafael. Roedd gofyn troi'r stori:

'Gen i isio sôn am rywbeth wrthoch chi'ch dau yn munud.'

'Syndod gen i bod gen ti ddigon o egni i siarad,' meddai Sian, a chymryd dracht o'i pheint.

'Ti'n siŵr na chymri di ddim un o'r chips 'ma?' meddai Osian; rhoddodd y jipsan yn ei geg a deud *mmm* yn uchel.

'Wnei di gau dy jops a byta dy jips yn ddistaw?' meddai Siân. 'Ti'n mynd i nôl diod arall inni, Tania?'

'Dwy ffeind iawn ydach chi. Gwin coch, plis.'

Mi ddaeth Sami i mewn – hwnnw sy'n mynd i'r sinema ffilms budur – tra o'n i wrth y bar, a wincio arna i'n chwareus. Un clên oedd o; daeth draw atom ein tri am sgwrs, ond arhosodd o ddim yn hir ar ôl i Osian ddechrau mwydro. Wedi iddo fynd y ces innau 'nghyfle i ddweud fy stori, a'r ddau arall yn eistedd yn ôl a'u boliau'n llawn:

'Dydd Gwener y dechreuodd pethau,' felly y dechreuais ddeud fy stori wrth Sian ac Osian. 'Mae Osian yn gwybod rhywfaint am yr hyn ddigwyddodd yn barod.'

'Y dyn efo'r gôt ar lôn Sonderling?'

'Paid â thorri ar draws, Osian!'

Es innau yn fy mlaen yn ddi-dramgwydd:

'Mi ofynnodd dyn barfog am bàs yn y tacsi at y chwarel. Golwg od ar y naw arno fo, yn sbio dros ei ysgwydd bob munud a golwg arno fo fatha tasa 'na rywun yn dŵad ar ei ôl.'

'Ei drwyn o'n gwaedu hefyd,' ychwanegodd Osian.

'Oedd, roedd ei drwyn o'n gwaedu. Wel, roedd o mor anserchog efo fi, ac yn byhafio mor amheus, nes imi gael llond bol yn diwedd a rhoi ffluch iddo fo allan o'r tacsi a dreifio o'no.'

Plesiwyd Sian gan hyn. Chwarddodd yn uchel a thanio sigarét.

'Yn ystod fy awr ginio mi aeth Osian a finnau yn ôl at lôn Sonderling i weld a oedd y boi barfog yn dal o gwmpas.'

'I be?' meddai Sian. 'Asu, dach chi'n ddau ecsentrig.'

'Ffansi!' meddai Osian, a phara efo'r stori: 'Yn anffodus docdd o ddim yno. Dim ond ei gôt o a chachu ci drosti'n un patrwm. Patrwm rhyfedd iawn.'

Roedd Sian yn colli 'mynadd yn barod, ac wedi dechrau sbio o'i chwmpas a thua'r bar. Ond mi ddaeth i glustfeinio eto wedyn pan soniais am y dyn mwstás – roedd hi'n gwybod am hwnnw'n barod – ac am y ffordd y dychwelais innau at y gôt ddiwedd y dydd, a'i llosgi.

'Chdi ydi'r person mwya od yn y stori yma, tasa chdi'n gofyn i fi,' meddai ar y diwedd, a sbio arnaf i fel y gwnaeth Beci pan ddaeth o hyd i lun y farwnes ym mag fy meic ddydd Sadwrn: rhyw gymysgedd o ddychryn a chydymdeimlad.

Ond a finnau'n dechrau mynd i hwyl yn dweud fy stori, mi soniais wedyn am y ffotograff hynod o'r farwnes mewn bicini, ac wedyn, yn ail ran fy stori, am f'ymweliad efo Yncl Beci, am fy nghyfarfyddiad efo'r farwnes a'r dyn barfog ar draeth Pedran, am yr ogof, am eu cynlluniau ar gyfer y gweithdy coed a chwarel, a fwyaf oll, am eu hymosodiad arnaf ar lan y môr.

Yn anffodus, roedd hi'n amlwg nad oedd Sian yn coelio gair o ail ran fy stori. Diffyg ffydd, fel Beci eto. Edrychai'n ddrwgdybus ac yn chwithig 'run pryd. Tawedog oedd Osian, yn llymeitian ei win.

'Ond dach chi ddim yn gweld y cyfan yn od?' Roeddwn innau'n mynnu cael ymateb.

'Od, ydan,' meddai Sian, a thynnu ar ei sigarét a chiledrych ar Osian. 'Od uffernol hefyd.'

'Dach chi'm yn meddwl bod 'na ryw batrwm?' mentrais wedyn, ond roedd Sian yn dechrau gwylltio.

'Gwranda, Tania. Yn dy ben di mae'r patrwm, a hwnnw'n un ciami. Iawn? Rŵan stopia hel meddyliau.'

Mi bwdais innau wedyn; deud dim am rai munudau, nes i Osian deimlo, mae'n siŵr, y dylai o ddangos rhywfaint o ddiddordeb yn y stori, a deud fel hyn:

'Ond be am y farwnes a'r ffotograff ohoni?'

'Duw, does wybod be mae honno'n ei wneud yn ei

hamser sbâr,' oedd sylw Sian. 'Dwi 'di clywed straeon digon lliwgar am y ddynes yna.'

'Ia,' meddwn innau. 'Ond gwitsiwch nes clywch chi hyn: pwy welais i heddiw ar stryd tywysog Cymru ond y boi barfog eto.'

'Ia?' meddai Sian, a chodi ar ei thraed yn ddi-ffrwt. 'Dach chi'n dod i glwb? Mae fa'ma ar fin cau.'

Ddeudais i ddim byd. Pa fath o ffrindiau oedd y rhain, ddim yn coelio 'ngair i?

'Fydd gynnoch chi ddim cywilydd bod efo hen fardd fel fi?' meddai Osian, a ninnau'n driawd ar ein ffordd allan.

'Yma i fwynhau ydan ni, stwffiwch eich cerddi a'ch straeon,' meddai Sian, a chamu o'r bar myglyd i aer llugoer y nos.

Pan ddeffrais i bore wedyn, choeliwch chi ddim, ond roedd Sian a fi ym mreichiau'n gilydd, a hithau'n dal i gysgu'n sownd. Mi dybiais am funud ei bod hi wedi marw, mor llonydd oedd hi.

Roedd hi'n tynnu at un ar ddeg o'r gloch a'r larwm wedi canu ac wedi tewi. Roedd gen i gur pen; llygaid yn llosgi hefyd. Ac yn ofnadwy o hwyr i'r gwaith.

Baglais i'r stafell molchi. Roedd un ohonom wedi bod yn sâl yno, dydw i ddim yn cofio pwy, wedi taflyd i fyny yn y toilet.

Yn y gawod wedyn, waeth pa mor galed y sgrwbiwn fy hun efo sebon, roedd yr oglau cwrw'n dal i ddod drwodd drwy 'nghroen i. Ia, fatha tasa fo'n tryledu o 'nghylch i, bobman ro'n i'n cerdded. Gwisgo ofarôl y gwaith. Mi gawn bryd o dafod gan y bòs.

Ffeindiais i ddim cwpan lân i gael coffi yng nghegin

flêr Sian. Jariau o dabledi aspirin ymhobman, beth bynnag, ac roedd hynny'n beth handi. Llyncu pedair o'r rheiny, hen bethau gwan ydyn nhw. Poeni wedyn am Osian wrth gofio'n ara-deg ei fod o'n ei ddagrau tu allan i'r lloches am bedwar o'r gloch y bore, ddim eisiau mynd i mewn. Sian a finnau'n rhy feddw i dalu sylw iawn ac yn mynd a'i adael o. Yn y bag ar y sedd gefn edrychai 'nillad gwyn newydd i'n llai ffres. Toeddwn i wedi dawnsio ynddyn nhw am ddwyawr, dair?

Llai braf oedd hi heddiw, hefyd, a synnwn i damaid na fyddai'r niwl yn syrthio cyn diwedd y pnawn. Fanno roedd o'n hofran uwchben y toeau, yn bygwth dod i lawr ar ben y ddinas; ro'n i'n ei deimlo fo'n drwm yng nghefn fy mhen heddiw, ac yn ei synhwyro fo'n treiddio i mewn i fy esgyrn. Mi wyddwn cyn dechrau na fasa heddiw cystal â ddoe.

Mi rois sbectol ddu ar fy nhrwyn, er nad oedd yr haul yn tywynnu gormod.

13. Tania ac Osian

Corff yn brifo, pen yn curo, gwddw'n dolurio, trwyn yn rhedeg, llygaid yn dyfrio: felly roedd pethau ddydd Mawrth a'r ddinas wedi colli'i swyn braidd ers dydd Llun. A finnau'n ista'n fy nhacsi tu allan i'r stesion, rhy gyfarwydd oedd pob dim yn y ddinas heddiw, hyd yn oed pethau bob-dydd fel oglau'r aer; osgo pawb oedd yn pasio heibio. Hawdd oedd dirnad meddwl pob un.

Doedd adeiladau'r ddinas chwaith ddim fatha tasan nhw'n trio gwneud dim byd ond job o waith: blociau ithfaen efo llechi ar eu toeau a ffenestri'n eu talcen. A'r rhai mwy diweddar yn hyllach byth, hen bethau chwedegaidd, concrid, ansad yr olwg. Sŵn aflafar ymhobman: bysys yn rhuo, tacsis yn canu corn, cloch y trams yn jario, brêcs ceir yn gwichian, larwms siopau'n sgrechian. Ac roedd oglau mwg petrol yn ddigon â mygu neb ar y lôn gylch; a mwg disel mawr yn codi'n gymylau uwchben y stesion wrth i'r hen drêns refio. Pam na fasa pawb yn mynd adra?

Na, doedd dim hwyl o gwbl yn y ddinas heddiw. Finnau'n hel atgofion mor braf a thawel oedd hi ar lan-y-môr ddydd Sadwrn. Dim byd ond gwylanod a môr i'w glywed yn unlle.

Mi ges aros yn y tacsi fwy neu lai weddill y bore, a'r ffenest wedi cau. Fatha tasan nhw'n synhwyro mai peth call oedd cadw draw, ches i ddim ond un cwsmer. A phan ddaeth y niwl, mwg budur mis Awst yn y ddinas, i ordoi popeth, a ninnau'r dreifars yn gorfod cynnau'n goleuadau a hithau ond yn tynnu at amser cinio, rhyddhad oedd peidio gorfod gweld neb na dim. Gwneud i amser basio'n gynt wnâi'r mwg.

Ia, fanno o'n i'n stwna ac yn deud dim bw na be wrth neb ac yn pwdu am imi gael ffrae haeddiannol gan y bòs. Tasach chi'n gweld cas oedd o. Throdd o ddim rownd i sbio pwy oedd yna pan gerddais i mewn i'w swyddfa i ymddiheuro:

'Mr Maxwell.'

Roedd o'n tynnu'n galed ar ei sigarét ac yn gadael i'r mwg lifo o'i ddwy ffroen a hel yn gwmwl glas o flaen y ffenest. Sbio ar gefn ei ben o wnes i: ar y gwallt seimllyd a'r cen oedd wedi disgyn fel gronynnau siwgwr ar ysgwydd ei grys. Prin y trodd ei ben: dim ond digon imi fedru gweld ei dagell o, ac amlinell ei fol yn goferu dros felt ei drowsus. Chwythodd y mwg eto trwy'i drwyn. Gwasgu stwmp ei sigarét ar baen y ffenest a'i gollwng ar lawr wedyn efo'r lleill. Troi'n ôl wedyn i sbio drwy'r ffenest ar ei dacsis yn un rhes.

'Isio ymddiheuro am fod yn hwyr bore 'ma.'

Dim symudiad gan y pen llonydd, dim ond llais oer yn deud:

'Un waith eto, a ti o'ma ar dy din.'

'Iawn,' yn gryg.

Trodd Mr Maxwell wedyn i'm hwynebu a finnau'n dychryn ac yn bagio'n ôl tua'r drws. Yntau'n dŵad gam yn nes. Oglau ffags oedd arno fo, ac oglau gwallt heb ei olchi. Roedd botwm y crys ar ei fol ar goll ac mi welwn ei fotwm bol o'n dangos drwodd. A blew cyrliog. Roedd ei osgo'n fygythiol.

Y peth nesa wyddwn i oedd fod Mr Maxwell wedi

codi ei fraich yn sydyn ac wedi taflu'r leitar yn ei law tuag ataf i. Mi deimlais boen sydyn wrth i hwnnw daro 'mron i'n galed, uwchben y ddwy frest. Troi ar fy sawdl a baglu o'no, a'i glywed o'n deud hyn:

'Dos o 'ngolwg i'r ast.'

Ar ôl cinio, a finnau'n pendwmpian ar ôl bod yn crio, daeth cnoc ar ffenest y tacsi. Osian oedd yno yn gofyn am gael dŵad i mewn.

'Ti'n dal ar dir y byw?' meddwn innau, wrth i'r bardd wneud ei hun yn gyfforddus yn y sêt wrth f'ymyl.

'Dwi 'di denig o'r lloches ers ben bore. Mae'r John 'na'n mynd i fy lladd i, medda fo.'

'Na wneith, siŵr.'

'*Gwneith, Tania!*' daeth dagrau i lygaid Osian. 'Mi wnes innau beth gwirion neithiwr yn fy niod: ei ateb o'n ôl a'i alw fo'n gorila anniwylliedig.'

Chwerthin yn uchel wnes i, ond roedd gwyneb Osian yn welw.

'Gest ti jans i sgwennu cerdd heddiw?' er mwyn troi'r stori.

'Dwi 'di crio gormod i fedru sgwennu dim.'

'Ers pryd ddaru hynny dy stopio di?'

Tawelwch wedyn wrth i'r ddau ohonan ni sbio drwy ffenest y tacsi ar yr haul uwch ein pennau ni'n trio dod drwodd.

'Ga i ddŵad efo chdi ar y reid nesa, Tania?' gofynnodd Osian. 'Dwi 'di diflasu'n y caffi ac mae Ann yn flin.'

'Dim ond iti fynd ar dy gwrcwd wrth inni basio swyddfa'r bòs neu mi ga i stîd arall.'

'Gest ti stîd ganddo fo?'

'Bron iawn.'

'Cythraul,' meddai Osian. 'Dwn i'm pam ti'n aros yma.'

'Mi fasa'n chwith imi heb y tacsi.'

'Os 'na rywun enwog i fod i gyrraedd heddiw?' gofynnodd Osian wrth weld twr o bobl yn ymgynnull o flaen y stesion.

'Sôn bod brenhines Lloegr ar ei ffordd yma rywbryd.' meddwn innau, yn licio gweld Osian yn cynhyrfu.

'Y cwîn!' Roedd Osian yn frenhinwr distaw-bach.

Ac yn wir, rhyw ddeg munud, chwarter awr yn ddiweddarach mi ymddangosodd dynes fawr fronnog mewn ffrog felen a het o flaen yr orsaf, a phawb yn hofran o'i chwmpas, a thri dyn tal yn dangos y ffordd iddi drwy'r dorf. Fflachiadau camerâu; cymeradwyaeth; cynnwrf pobl yn siarad ar draws ei gilydd. Hithau'n sefyll yn ei hunfan ar dop y grisiau, yn gwenu ar y lensys, ac yn codi ei llaw.

Ninnau, Osian a fi, yn y tacsi gwyn ar flaen y rhes, yn syllu arni. Ac at fy nhacsi i y daeth hi, a phawb yn ei dilyn a'r camerâu'n dynn tu ôl iddi. Mi ddringodd i mewn ac ista'n y cefn. Cau'r drws yn glep ac ochneidio dros y lle.

Nid y cwîn oedd hi, wrth gwrs, ond cantores canu gwlad enwocaf Cymru, yn dŵad i ganu mewn un cyngerdd. Doedd Osian, fodd bynnag, ddim callach ac yn cael cathod bach yn y ffrynt, yn chwys diferol ac yn crynu gan gynnwrf.

'Duw mawr,' meddai'r ddynes fronnog. 'Oes gynnoch chi hances, del? Dwi'n laddar o chwys ar ôl bod yn y trên poeth 'na.'

Estynnodd Osian hances iddi. Roedd yn gwrido ac yn gwelwi bob yn ail.

'Diolch, ddyn bach,' meddai hithau, a sychu dan ei cheseiliau.

'Lle fasach chi'n licio mynd?' meddwn innau.

'Y theatr genedlaethol, del! Licio'ch tacsi gwyn chi. *Simply marvellous!*'

Anaml y câi rhywun gwsmer mor fawreddog. Sbio ar bob dim drwy'r ffenest wrth basio wnâi'r ddynes dew, a phasio barn. Deud pethau fel:

'Ew, am siop gomon yr olwg!' neu 'Lle bach hyll!' neu 'Nefi blw! Am siabi ydi'r ddinas 'ma. A'r bobl hefyd.'

Toc, mi estynnodd gês crwn plastig o'i bag llaw a dechrau taenu powdwr brown dros ei thrwyn; tuchan wedyn, a rhegi.

'Tasa'r blydi *shiny-nose* 'ma'n stopio bod mor *greasy!*'

'Rydw innau'n dioddef o drwyn coch, eich mawrhydi,' meddai Osian, cyn ychwanegu mewn Saesneg llafurus: '*Too much wine.*'

Gresyn inni gyrraedd y theatr mewn gwirionedd, achos roedd hon yn theatr ynddi'i hun. Ond dyna lle roedd Osian wedi sboncio allan ac wedi agor y drws cefn i'r ledi gael stryffaglio i ddŵad allan.

'Diolch yn fawr iawn, ddyn bach,' meddai a'i llygaid ynghau, a'i cheg yn troi bob siâp; daliodd ei llaw er mwyn i Osian ei chusanu.

'Braint, eich mawrhydi. Braint.'

'Nhw sy'n talu!' meddai'r ddynes wedyn, gan gyfeirio at y tri dyn oedd wedi tynnu i mewn tu ôl inni yn nhacsi Math. Diflannodd hithau'n ddisymwth drwy ddrws gwydr y theatr.

A'i wynt yn ei ddwrn y daeth Osian yn ei ôl i mewn i'r tacsi.

'Pwy fasa'n meddwl!' sibrydodd, a dagrau'n cronni eto. 'Cael teithio efo'r cwîn! Dwi'n fodlon marw rŵan. Dynes neis oedd hi hefyd. A welaist ti'r brestiau anferth 'na?'

'Hi fydd dy awen di o hyn ymlaen?' ro'n innau'n dal i'w bryfocio fo ddiwedd y pnawn.

'Ti'n iawn,' meddai Osian, a sbonc yn ei gam wrth gerdded o'no. 'Ti'n iawn, Tania.'

Ac mi waeddais i'w ganlyn, a fo'n ymbellhau:

'Edrych ymlaen am gael clywed y gerdd am y cwîn, Osian.'

Codi'i fawd ddaru o uwch ei ben.

'Gad hi dan y weipars!'

Dwn i'm glywodd o hynny chwaith. Roedd y bardd yn fyddar i bethau'r byd hwn weithiau.

14. Tania

Pan ddaeth saith o'r gloch o'r diwedd nid adra'r es i. Anodd deud pam, ond y peth nesa wyddwn i oedd bod y tacsi'n mynd yn braf i fyny lôn Sonderling a thua chwarel Gororwig. Mae'r pethau 'ma'n digwydd weithiau: rhywun yn gwneud peth anodd ei esbonio.

Ar lôn Sonderling, dyna ni wedi codi tu hwnt i'r niwlen i le clir. Yma, roedd oglau'r aer yn well. Mi allwn sbio lawr ar y ddinas ac ar y mwg llwyd oedd yn dal i fygwth disgyn fel blanced drosti. Braf oedd cael dod o'no.

Mi barciais y tacsi wrth giât y llwybr. Llwybr serth oedd i'w ddringo rŵan at y chwarel. Mor fach edrychai'r tacsi yn y pellter erbyn cyrraedd y troad cyntaf: fel parsal gwyn islaw, yn gloywi yn erbyn y tomennydd llwyd oedd wrthi'n duo wrth i'r haul suddo'n is. Lle hardd oedd yn chwarel Gororwig yr adeg hon o'r flwyddyn. Roedd gan y chwarel gymeriad gwahanol ym mhob tymor, ond roedd ei gwedd fis Awst yn arbennig. Tyfai grug yn glystyrrau porffor dros weddillion y sciablins; a dyna'r llwyni eithin wedyn yn felyn aur yn y cloddiau. Haul oedd ar fin machludo'n danllyd yn disgleirio dros y cyfan, a dyna'r synhwyrau wedi meddwi'n lân! Anadlu'n ddwfn i glywed oglau melog yr eithin, twtsiad y cerrig efo'r bysedd; chwilio am lus yn tyfu rhwng y llwyni grug. Llonyddwch mawr oedd o 'nghwmpas i, a'r lle wedi hen anghofio iddo fod yn brysur erioed. Anodd coelio mai hon fuodd chwarel ithfaen fwya'r byd unwaith.

Roedd llond dwrn o ddynion yn gweithio yma o hyd, ond gwarged oedd hynny. Fuodd chwarel Gororwig ddim yn brysur go iawn ers blynyddoedd. Na, doedd dim byd ar ôl bellach ond creithiau hyd wyneb y mynydd. Ond i rywun ifanc, nid peth anodd oedd licio chwarel Gororwig yn union fel roedd hi heddiw: yn dawel fel y bedd a dim byd ond olion hyd y lle. Hen imbyll, hen sgiablar a phlygiau haearn rhydlyd, wagenni gweigion, cytiau to-sinc yn dadfeilio, tomennydd sciablins.

Ymlwybro ddaru mi at dop yr inclên ac ista i lawr yn fanno yng nghanol y chwarel, a theimlo'r garreg yn damp danaf. Cynnes oedd yr haul ar fy moch. O wrando, hawdd oedd dychmygu clywed sŵn y wagenni'n cario'r sets i lawr at waelod yr inclên; sŵn pedolau'r ceffylau'n eu tynnu o fanno ac at y lanfa ar y traeth yn bell o fan hyn; gwich y brêc yn rheoli'r wagenni'n dod yma o'r ponciau; dwndwr y wagenni llawn yn rowlio i lawr a chrafu'r wagenni gweigion yn dod i fyny . . . Ia, cysgu yn fanno wnes i, a deffro pan oedd yr haul ar fin diflannu, a fi wedi cael yr hamdden ro'n i wedi'i ddeisyfu.

Ar y ffordd o'no, dyma ddigwydd sylwi ar arwydd ar yr ochr chwith. Arno roedd enw'r chwarel mewn llythrennau bras, a'r sgwennu canlynol dano:

Cynllun Datblygu Twristiaeth
Amgueddfa Chwarel Gororwig
Arddangosfa Addysgol a Chanolfan Brofiad Hyperrealaidd

94

Creu llun cyfarwydd yn fy meddwl a wnâi'r geiriau, gwneud imi deimlo ias yn rhedeg drostaf. Dan y sgwennu roedd lluniau'r ddau oedd tu cefn i'r datblygiad. Dau wyneb cyfarwydd eto – toeddan nhw wedi byw yn fy mhen i ers pedwar diwrnod? – a'u henwau danynt i dystio hynny. Digon ydi deud bod aeliau trwchus bwaog gan y naill a barf gan y llall. Terri a Non.

Roedd yr awel yn gafael. Mi ddychwelais innau at y tacsi. Dreifio'n hamddenol wedyn i lawr lôn Sonderling a thua chanol y ddinas a fanno'n brafiach lle erbyn hyn: llai o brysurdeb a llai o bobl. Mynd hyd y ffordd arferol: heibio'r senedd, heibio'r brifysgol, heibio'r amgueddfa genedlaethol, heibio neuadd y dref. Mynd rownd y lôn gylch un waith i weld y ddinas yn ymfywiocáu fin nos. Heibio'r senedd eto wedyn, heibio'r parc yn llawn pobl yn mynd â'u cŵn am dro, heibio'r banciau, heibio'r troad at y dociau, heibio'r stesion eto. A dim ond o'm hanfodd y trois i drwyn y tacsi at y lôn tuag adra. Doedd dim brys, wedi'r cyfan. Amser fyddai'n dangos bod 'na batrwm yn y pethau 'ma. Amser fyddai'n profi bod fy stori i wedi bod yn werth ei deud, a finnau 'di canfod fy ngwerth, a'm swyddogaeth, yn y chwarel.

Dyma dystiolaeth ar ddu a gwyn bod fy nychymyg i'n deud y gwir: *roedd* y dyn barfog yn bod; *roedd* y ffotograff yn bod; *roedd* y berthynas rhwng y farwnes a'r dyn barfog yn bod; *roedd* yr ogof yn bod; *roedd* y garreg a daflodd y ddau i'm taro i ar fy mhen yn bod. *Roedd* y stori'n wir, a fi, Tania'r Tacsi, oedd wedi 'newis i fod yn awdur arni.

15. Tania

Tua deg o'r gloch y nos dyma ffonio cartref Osian a chael llais hogan ifanc, un o'r gweithwyr yn y lloches, ar y pen arall. Honno wedi cyffroi braidd pan ofynnais am gael siarad efo'r bardd talcen slip. Atal deud mawr arni hi.

'Ydi Osian yn iawn?'

'Nacdi.'

'Be sy matar?'

'John, un o'r hogia eraill yma gollodd ei dempar braidd.'

'Ydi o''di brifo?'

'Do.'

'Ga i air efo fo?'

Roedd llais yr hogan yn floesg.

'Fedrwch chi ddim. Dydi o ddim yma.'

'Lle mae o?'

'Mi ddiflannodd o o'ma rhyw ddwyawr yn ôl tra oeddan ni'n disgwyl yr ambiwlans. Mae Twm wedi mynd i chwilio amdano fo. Dydi o ddim ffit i fod yn crwydro'r strydoedd. Mae o'n . . .'

'Mae o'n be?'

'Mae o'n gwaedu fel mochyn,' meddai hithau o'r diwedd.

Rhoi slaes i'r ffôn yn ôl ar y bachyn. Gwisgo fy 'nghôt a rhuthro allan o'r tŷ ac i'r tacsi. Gwallt yn dal yn wlyb ers cael bàth. Ceg yn sych. Ond doedd dim isio i Osian boeni, mi gâi Tania hyd iddo fo.

Goleuadau ceir yn dallu; goleuadau melyn y caffis a'r tafarndai yn disgleirio bob ochr; goleuadau neon y clybiau a'r sinemâu. A dim golwg o hen ŵr crwm yn ei lusgo'i hun hyd y palmentydd.

Trois tua'r dde efo'r tacsi a hyd y strydoedd cefn. Trois tua'r chwith at y strydoedd llydan. Heibio'r llyfrgelloedd i gyd, gyrru'n wyllt at Caffi Stesion ond doedd neb wedi ei weld o'n fanno. Dreifio fatha taswn i'n wallgo; yn canu corn ar geir oedd yn mynd yn ara-deg; mynd yn ara-deg fy hun hyd ymyl y palmant; llygadrythu ar bawb oedd yn pasio; canu corn ar griw o rai ifanc oedd am stopio'r tacsi. Onid oedd y ffyliaid yn gweld nad oeddwn i ddim ar gael?

Heibio'r senedd, heibio'r amgueddfa, heibio neuadd y dref. Fyny at y brifysgol. Ymlaen hyd lôn Sonderling at y chwarel. Trio pobman. Rownd a rownd y lôn gylch yn chwilio a chraffu nes bod fy llygaid a 'mhen i'n brifo. Ond doedd Osian ddim i'w weld yn unlle.

Brêcio'n sydyn ar gymaint o frys – wedi penderfynu ffonio Sian – nes i'r tacsi sgrialu hyd y stryd a bron taro mewn i gar oedd yn dŵad amdana i. Rhegi'n uchel; ymddiheuro; croesi'r lôn i ffonio; Sian ddim adra. Ac Osian allan ar strydoedd y ddinas yn gwaedu fel mochyn. Y bardd talcen slip wedi hanner ei ladd gan gorila anllythrennog . . .

Meddwl 'mod i'n gweld ei gysgod o'n llechu ar gorneli strydoedd. Tybio'i weld o'n mynd o lech i lwyn, o ddrws tafarn i ddrws tafarn. Na. Heibio'r tai ar hewlydd Befan a Hardi a Glyndŵr. Ond doedd neb yn cerdded palmentydd fanno'r adeg hon o'r nos.

Roedd y petrol yn y tanc bron â darfod. Doedd dim

amdani ond dreifio adra. A dŵad yn ôl i'r ddinas ar y beic i chwilio.

Roedd llond y lle o bobl yn tyrru allan o'r tafarndai ac yn croesi'r stryd o flaen y tacsi, yn peryglu eu bywyd. Criwiau o bobl eraill wedyn yn chwerthin tu allan i'r siop kebab. Ffeit tu allan i'r lle pizza, a golau glas yr heddlu'n dŵad i'n cwrdd ni ac yn mynd at y cwffiwrs.

Dau funud fyddwn i'n parcio'r tacsi yn y garej. Nôl cap i'w roid ar fy mhen, côt gynhesach, goleuadau beic, ac allan â fi eto.

A dyma gyrraedd y garej, o'r diwedd, a dod â'r tacsi i mewn yn wyllt i'w barcio. Mi darais rywbeth oedd ar lawr y garej. Dan regi, bagio'r tacsi'n ôl. Oeddwn i wedi mynd dros fy meic? Na, roedd y beic yn ei le ar wal y garej, yn gloywi'n wyn yn y tywyllwch. Oeddwn i wedi rhedeg dros giaman drws nesa? Nid cath oedd yno, na chi chwaith. Na dim anifail arall. Na, nid peth hawdd ydi deud be oedd yn gorwedd ar lawr fy ngarej i'n un swp gwaedlyd. Olwyn y tacsi wedi mynd drosto fo ddwywaith, unwaith ymlaen ac unwaith yn ôl. Fedra i ddim deud.

Dim ond hyn dwi'n gofio: pan welais be oedd yno, mi deimlais i'r byd yn arafu ac yn rhewi. Fy nghalon yn stopio curo. Daeth gwylanod mwya sydyn o rywle i sgrechian chwerthin yn fy nghlust. Fi fy hun oedd yn sgrechian.

Waeth ichi gael gwybod, mae'n siŵr. Ar lawr fy ngarej i, yn waed i gyd, a marciau teiars y tacsi ddwywaith dros ei wyneb, roedd Osian yn gorwedd yn farw.

16. Osian, Tania, Sian

Trio gwneud imi yfed te roedd y ditectif; o leia, dwi'n meddwl mai hwnnw oedd y ditectif. Mi ddeudodd rhywun mai doctor oedd o. Cymaint o bobl wedi bod yn mynd a dŵad nes imi golli cownt.

Un diwyd oedd y ditectif-ddoctor efo'i nodiadau hefyd. Mi sgwennodd gyfrolau am yr hyn ddeudais i. Trio deud wrtho fo sut roedd pob dim wedi dechrau. Hynny oedd yn egluro sut roedd pethau wedi diweddu.

'Mi fydd yn rhaid i fi gael fy nghosbi, yn bydd?' finnau'n gofyn yn obeithiol.

Gwenu ddaru o, fel bydd o bob tro. Rydach chi'n gwybod y stori'n iawn, wrth gwrs. Mi fydda innau'n licio crynhoi'r cyfan bob hyn a hyn; cr fy mwyn fy hun yn fwy na dim. Mae gofyn cael meddwl clir ar adegau fel hyn. To'n i wedi sôn ganwaith wrtho fo am y dyn barfog, am y dyn mwstás, am y farwnes, am losgi'r gôt, am y ffotograff, am yr ogof ar y traeth, ain gynlluniau'r farwnes a'r dyn barfog i ddistrywio diwydiannau'r fro, y gweithdy coed a'r chwarel, ac i danseilio gwerthoedd y gymdeithas. Ond roedd y ditectif-ddoctor fatha tasa fo'n pallu dallt y cynsail.

'Fi oedd yn bygwth y dyn barfog, dach chi'n gweld.' Ro'n i wrthi eto, yn dechrau o'r dechrau.

'O ia,' meddai yntau a golwg wedi laru arno fo.

'To'n i'n gwybod am ei gynlluniau fo ar gyfer y chwarel a'r gweithdy coed? Pan ddaeth o i mewn i'r tacsi y diwrnod hwnnw, do'n i'm yn medru coelio fy lwc. Cyfle heb ei ail i gael gwared arno fo unwaith ac am byth. Dach chi'n sgwennu?'

Ochneidiodd y ditectif-ddoctor ac ailafael yn ei bensal.

'Mi giciais i fo nes bod o ar farw heb fod yn bell o lôn Sonderling. Dyma fo'n cropian o'no ar ei bedwar ond mi es i'n ôl ato fo a rhwbio'i wyneb a'i wallt o, a bob dim, mewn cachu ci. Peidiwch â throi'ch trwyn rŵan . . .'

'Be ddeudsoch chi oedd rhan Osian yn hyn, Tania?'

Crio wnes i wedyn, wrth gwrs. Be wnaech chi tasach chi wedi lladd eich mêt hoffusaf?

'Dowch rŵan,' meddai'r ditectif-ddoctor.

Finnau'n mynd ymlaen dan snwffian: 'Mi yrrodd y dyn barfog ei frawd ar f'ôl i wedyn i drio 'ngwaradwyddo fi'n y tacsi. Dyn efo mwstás oedd hwnnw. Ac anllad ydi'r gair i'w ddisgrifio fo. Na, dim diolch, chymra i ddim chwaneg o de. Ddeudsoch chi bod Beci'n dŵad yma?'

'Mae o am ddŵad fory eto.'

'Does arna i ddim isio'i weld o.'

Ochneidiodd y ditectif-ddoctor a tharo'r bensal ar gefn ei law.

'Be fasach chi'n licio'i ddeud am Osian, Tania?'

'Do'n i erioed wedi bwriadu ei ladd o.' To'n i 'di deud ganwaith yn barod? 'Ond roedd o'n gwybod gormod. Ac mi oedd o, gwaetha'r modd, yn un drwg am siarad yn ei ddiod.'

Gwasgais yr amlen wen yn dynn at fy mron. Ynddi roedd cerdd olaf Osian, honno adawodd o ar fy mheiriant ateb ffôn. Ond bod hon mewn sgrifen hogyn-bach. Dyma fi'n dechrau crio eto.

'Roedd rhaid ei ladd o'n y diwedd, dach chi'n gweld, achos doedd dim dal y basa fo'n cau ei geg. Lladd Osian oedd y peth anodda wnes i yn fy mywyd.'

Mi roddodd y ditectif-ddoctor ifanc ei fraich amdanaf:

'Gwrandwch rŵan, Tania. Mae'r crwner wedi cadarnhau bod Osian wedi marw cyn ichi ei daro fo efo'r tacsi. Roedd o wedi gwaedu tu mewn ac wedi marw cyn ichi ddŵad yn ôl i'r garej. Nid y chi laddodd Osian.'

'Tewch â'ch celwydd!' meddwn innau'n chwyrn.

'Tania,' meddai yntau a rhoi sgwd iawn imi. '*Nid y chi laddodd Osian!*'

'Cosb lle mae cosb yn ddyledus,' oedd yr unig beth gafodd o gen i.

Mi driod siarad efo fi wedyn hefyd, ond chafodd o 'run smic arall.

Pan aeth o, pan fydd o'n mynd bob tro, dyna finnau'n teimlo'n unig, yno yn y tacsi gwyn ar fy mhen fy hun. Y dillad newydd amdanaf: crys gwyn, trowsus gwyn, sgidiau gwyn, dillad isaf gwyn. Dwn i'm lle roedd y sgarff main wedi mynd.

Be wnes i wedyn ond agor amlen wen Osian a darllen ei gerdd yn uchel imi fy hun. Ardderchog oedd clywed ei sŵn hi'n morio o 'nghwmpas, yn llenwi'r tacsi efo'r llafariaid, a'i chytseiniaid yn bowndian oddi ar y waliau gwyn fatha tasa rhywun wedi peintio lliwiau yno:

Drannoeth wedi'r drin troediais
Yr hen hen lwybrau droediaist ti a fi
Ar lonydd yr hen ddinas annwyl hon.
A sŵn ein geiriau yn un gri
Ddolefus yn fy mhen a'm cof.
Mae hiraeth arnaf, Tania. Tyrd yn ôl.
Ac os na fydd ein c'lonnau'n curo'n un
Fel gynt; maddeuaf iti er eu gwaethaf, o fy mun.
Fy mun, fy mun, dwyf innau hebot ddim
Ond gwacbeth ar ddisberod. O, rho'th galon im.
Calon, calon Cymru sydd yn curo ynot.
Y galon wiw. Ni allaf ddianc rhagot,
Hyn ni fynnaf chwaith.
Tania, ti yw'r cychwyn; ti yw pen y daith.

Ar ôl ei ddarllen hi mi fydda i'n crio bob tro. Iesu, mae hi'n ofnadwy o sâl, dydi?

Mae'r ditectif-ddoctor yn dal i ddod yma bob dydd. Meddwl ei fod o'n dechrau coelio fy stori i, achos mae o wedi dechrau protestio llai.

Mae Beci wedi bod yma hefyd. Ond un slei ydw i. Be wnes i ond cloi drysau'r tacsi i gyd fel nad oedd o'n gallu dŵad i mewn. Mae hi'n glyd braf tu mewn i'r tacsi a neb yn cael dod yma nes deudan nhw be fydd fy nghosb i am ladd Osian. Does 'na'm sens yn yr holl witsiad.

Dim ond un sy'n cael dod i mewn i'r tacsi, a Sian ydi honno. Y fath hwyl 'dan ni'n gael efo'n gilydd. Mynd i bobman yn y tacsi: am drip i lan-y-môr, am drip i'r wlad, hyd yn oed am drip i'r chwarel weithiau er cof am y dyddiau gynt. A chwerthin! Mi fyddwn yn chwerthin weithiau nes bod y dagrau'n powlio.

Rydan ni'n dwy eisoes yn cynllunio be i'w wneud ar ôl imi adael y carchar, pryd bynnag fydd hynny. Fiw imi warafun iddyn nhw 'ngharcharu fi, nacdi, a finnau'n llofrudd. Mi fydd y gosb yn rhyddhad.

Ia, hyn mae Sian a fi am ei wneud: gadael y ddinas a mynd i fyw i'r wlad, heb fod yn bell oddi wrth Yncl Beci, a heb fod yn bell o lan-y-môr. A 'dan ni'n mynd i sgwennu llyfr efo'n gilydd yn deud fy stori i a stori Osian. Ac efo'r pres gwneud hyn: codi trac beics sy'n mynd yr holl ffordd drwy'r goedwig ac at waelod clogwyn Nyth Brân. Ac mi ga innau fynd fel bom ar hyd hwnnw a theimlo'r gwynt yn mynd trwy 'ngwallt.

Ac ella, pan fydd gynnon ni fwy o bres eto, mi awn â'r trac beics yn bellach byth. Ei rowndio fo'n ôl heibio'r stiwdios teledu a'r amgueddfa goed ac at ein tŷ ni fydd heb fod yn bell o dŷ Beci. A wyddoch chi be fydd enw'r trac beics? Trac Osian. Ia, er cof am y bardd talcen slip oedd wedi bod yn fêt mawr i ni'n dwy.

Mae un peth yn siŵr: pan ga i jans eto i fynd i lan-y-môr, mi ddringa i i mewn i'r ogof yn y clogwyn dan Nyth Brân, a gwneud be wnâi'r setsmyn efo ithfaen mynydd Gororwig ers talwm, sef creu twll mawr. Gwybod yn union sut i fynd ati: llenwi'r ogof efo powdwr a choed sych a ffelt; smentio dros y tamprwydd yn y graig; gosod gwifrau trydan i gynnau'r cyfan; ac yna creu ffrwydrad anferth nes bod Plasty Pedran yn tasgu i'r awyr, a'r farwnes gandryll yn hofran yn fanno efo'r gwylanod, a'i gwaed hi'n bwrw ar y bobl noeth ar y traeth.

Ches i ddim fy ngalw'n Tania am ddim byd, wedi'r cwbl.